Chère lectrice,

Qui n'a jamais ... ... voir ?
Contrainte de s'inv... ...atron,
Anne est bien emba... ...on demande à
rencontrer le prétendu fiancé. Dieu merci, l'agence Célibataire-
à-la-Carte existe ! (1267)… Comment devenir un parfait gentleman britannique quand on est un industriel peu protocolaire ?
Jack doit impérativement relever le défi. Pour cela, il loue les
services d'une experte en savoir-vivre (*Une liaison très stylée*,
1268)… Entre la très médiatique Helena et Matt, le milliardaire
solitaire, naît une *Idylle magique*. Mais qu'adviendra-t-il de cet
amour si les paparazzi continuent de traquer l'image de la belle
Helena ? (1269)… *Il suffirait d'y croire !* Voilà ce que ne veulent
surtout pas se dire Taylor et Thomas, pourtant très attirés l'un
par l'autre. Mais ils ont tellement peur des sentiments et du
mariage… ! Sauront-ils dépasser ces peurs ? (1270)… Pas de
doute, Denise est enceinte ! Très chevaleresque, Mike propose
de l'épouser. Mais s'engage-t-on pour la vie avec un amant
d'une nuit, même si cette nuit a été éblouissante ? (*A condition
d'aimer*, 1271)… La saga « Les Barone et les Conti » vous offre
un nouvel épisode de sa fresque passionnée : ce mois-ci, *Un
lien secret* fait courir des rumeurs à l'hôpital et battre le cœur
de Gina Barone (1272).

Bonne lecture,

La Responsable de collection

A condition d'aimer

MAUREEN CHILD

A condition d'aimer

COLLECTION ROUGE PASSION

Cet ouvrage a été publié en langue anglaise
sous le titre :
MATERNITY BRIDE

Traduction française de
FRANCINE ANDRÉ

HARLEQUIN®

est une marque déposée du Groupe Harlequin
et Rouge Passion® est une marque déposée d'Harlequin S.A.

Originally published by SILHOUETTE BOOKS,
division of Harlequin Enterprises Ltd.
Toronto, Canada

Photo de couverture :
© MIN ROMAN / MASTERFILE

© 1998, Maureen Child. © 2004, Traduction française : Harlequin S.A.
83-85, boulevard Vincent-Auriol, 75013 PARIS — Tél. : 01 42 16 63 63
Service Lectrices — Tél. : 01 45 82 47 47
ISBN 2-280-08299-3 — ISSN 0993-443X

1.

— Bon sang, où est donc cette maudite serrure ? maugréa Denise Torrance en tâtonnant dans l'obscurité du bout de sa clé.

Comme dans un vieux film d'épouvante, mue par une crainte inexplicable, elle se retourna pour scruter les ténèbres. Allons, se mettre dans des états pareils pour une banale panne d'électricité était stupide, se raisonna-t-elle. Elle connaissait les moindres recoins de ces bureaux, aucun monstre tapi dans l'ombre n'allait lui sauter à la gorge !

La clé récalcitrante dérapa encore plusieurs fois avant de se loger dans la serrure. Enfin soulagée, la jeune femme déverrouilla la porte, remonta la bandoulière de son grand fourre-tout sur son épaule et pénétra dans le bureau. Une fois à l'intérieur, elle chercha machinalement l'interrupteur, pressa le bouton d'une main distraite, mais comme la lumière ne revenait pas, elle se remit à ronchonner tout haut.

— Ils n'ont vraiment pas l'air pressés de nous remettre le courant.

Bien sûr, c'était un peu sa faute si elle était piégée. Si elle était venue récupérer les dossiers de Patrick un peu plus tôt, avant la panne, elle n'en aurait pas été réduite, maintenant, à parler toute seule pour conjurer son appréhension.

— 10 heures du soir ! Il faut bien être stupide pour travailler encore à cette heure-là, quand on peut être chez soi à se prélasser dans un bon bain chaud.

— Je suis bien de votre avis, lui répondit brusquement une voix grave, surgie de nulle part.

Denise recula instinctivement, persuadée que son cœur allait s'arrêter de battre d'une seconde à l'autre.

— Quant au bain, ma jolie, ajouta la voix, je n'aurais rien contre si vous acceptiez de le prendre avec moi.

Un sadique... Il ne manquait plus que cela !

Après quelques lentes et profondes inspirations pour tenter de recouvrer un peu de calme, la jeune femme pivota sur elle-même, cherchant à discerner une ombre dans l'obscurité. Que n'avait-elle pas eu, ce matin, la bonne idée de mettre ses tennis au lieu de ses escarpins à talons aiguilles ! soupira-t-elle pour elle-même, en réponse à l'envie impérieuse qui l'avait saisie de s'enfuir à toutes jambes.

Tandis que son regard fébrile essayait de percer les ténèbres, l'homme s'avança vers elle. L'espace d'un instant, elle capta sa silhouette au moment où il passait dans un rayon de lune éclairant le bureau, puis il disparut de nouveau dans l'ombre. Si elle n'avait pas eu le temps de détailler les traits de son visage, elle l'avait en revanche suffisamment vu pour pouvoir d'ores et déjà affirmer qu'il était grand et bien bâti.

Il se tenait à présent entre elle et la porte...

Bon, pas moyen de s'échapper par là, se dit-elle, récapitulant mentalement la situation. Comme ils étaient au troisième étage, pas question non plus de sauter par la fenêtre. Alors que lui restait-il ?

« Réfléchis, Denise ! Vite, réfléchis ! »

Affolée, elle essaya de se remémorer les techniques qu'elle avait apprises au cours de ses leçons de self-défense.

Comment s'y prenait-on, déjà, pour saisir son adversaire et l'envoyer valser par-dessus son épaule ?

De nouveau elle voulut reculer, mais en se cognant contre une chaise, elle se tordit le pied, trébucha et cassa son talon.

— Restez où vous êtes, ordonna-t-elle de sa voix la plus menaçante. Je vous préviens, je…

— Cool, ma jolie ! l'interrompit l'homme, qui semblait s'être encore rapproché.

— Je vous préviens, je vais hurler.

Une rodomontade ! Avec cette gorge plus sèche qu'un désert, elle avait même du mal à parler, alors crier… !

Comme elle tentait encore de s'écarter, elle bascula et manqua perdre l'équilibre. Nom d'un chien, pourquoi ne parvenait-elle pas à se souvenir de la prise que lui avait enseignée ce moniteur qu'elle avait payé à prix d'or ? Ce n'était vraiment pas la peine d'avoir dépensé une fortune pour un si piètre résultat ! En situation réelle, confrontée à un vrai assaillant, elle avait maintenant la confirmation de ce qu'elle avait toujours craint : dans la panique, son cerveau était incapable de fonctionner normalement !

Surprise par son sac qui, dans un mouvement trop brusque, venait de se rabattre sur son estomac, elle lâcha un cri de terreur.

— Ça va ? demanda l'homme.

Un maniaque attentionné… La pire engeance ! Oh, mon Dieu, qu'on lui donne de l'air, elle étouffait !

— Euh… Oui, ça va.

— Dites donc, ma jolie, si vous arrêtiez un peu de remuer comme un ver.

— Je n'ai pas l'intention de vous faciliter la tâche, si c'est ce que vous espérez, répliqua-t-elle, se mettant alors à gesticuler de plus belle.

Finalement, contre toute attente, ce talon cassé l'aidait à se balancer, à se dandiner d'un côté, de l'autre, et ainsi, à se dérober aux mains de ce fou qui n'avait probablement qu'une idée en tête : l'acculer dans un coin pour la violer ou l'étrangler.

Comme sa hanche heurtait l'angle du bureau, Denise se promit que si elle ne s'en sortait pas vivante, son fantôme viendrait hanter les jours et les nuits de son ami, Patrick Ryan. Car, au fond, c'était lui le responsable de ce drame : s'il n'était pas parti en vacances, elle n'aurait pas eu à venir fouiller dans ses affaires pour prendre les dossiers dont son père, Richard Torrance — leur employeur commun — avait besoin pour la réunion du lendemain. Drôle de copain qui se prélassait pendant qu'elle était en train de vivre un cauchemar ! Oui, ce bon vieux Patrick ne perdait rien pour attendre !

— Vous allez vous calmer, oui ou non ? reprit l'homme d'une voix à laquelle la colère conférait une note plus grave.

La tension montait. Pour tenter de se décontracter, Denise se mit à chantonner. Ou plus exactement s'y essaya-t-elle, car il était difficile de nommer « chant » cette espèce de couinement haut perché qui lui sortait de la gorge ! Puis, soudain, tandis qu'elle faisait un pas de côté, la lanière de son sac s'accrocha à un meuble. Terrorisée, elle pila net et retint sa respiration. C'est alors que le miracle se produisit...

Elle venait d'avoir une idée ! Enfin !

Il ne lui fallut pas plus de quelques secondes pour soulever le rabat de son fourre-tout et chercher à tâtons, parmi une quantité d'objets hétéroclites entassés pêle-mêle, celui qui allait lui sauver la vie. Hélas, la tâche n'était pas simple dans l'obscurité. La jeune femme décida donc d'employer les grands moyens et de jeter au sol, au fur et à mesure qu'elle les éliminait, les objets qui ne l'intéressaient pas. Un tube de rouge à lèvres, un livre, un stylo, un calepin…

— Si vous continuez, on ne va jamais pouvoir s'expliquer, reprit son adversaire, se rapprochant dangereusement. Relaxez-vous !

« Se relaxer… Oh, mais bien sûr, merci du conseil. Quelle idée géniale ! »

La respiration de plus en plus courte et le cœur battant la chamade, Denise imaginait, au contraire, que sa poitrine était sur le point d'exploser. Pour autant, il n'était pas question pour elle de renoncer et ses mains nerveuses continuaient leur quête aveugle. Nom d'un chien, cette bombe anti-agression devait bien être quelque part…

Enfin, sous ses doigts se dessina la forme de l'aérosol. Ragaillardie par cette trouvaille, la jeune femme n'eut pas une seconde d'hésitation. Brandissant la bombe d'un air triomphant, elle la tendit dans la direction supposée de son ennemi, détourna la tête par mesure de sécurité et pressa la valve.

Aussitôt, l'autre se jeta sur elle en hurlant :

— Vous êtes folle !

Denise tenta de protester, de crier à son tour pour lui faire croire qu'elle n'avait pas peur, mais sa voix s'étrangla dans sa gorge. Les choses se passèrent ensuite très vite : l'homme réussit à s'emparer de la bombe, mais, déstabilisé dans sa précipitation, il tomba au sol en entraînant la jeune femme dans sa chute.

Après quelques secondes d'une lutte désespérée, Denise comprit que la partie était perdue. De fait, retournant sans difficulté la situation à son avantage, son assaillant s'arrangea pour la faire rouler sous lui.

A présent, il la tenait à sa merci. Sous ce corps puissant et imposant qui la dominait, la jeune femme se sentait piégée comme un misérable insecte épinglé à une planche. Impuissante, elle entendit alors le roulement de la bombe sur le sol, puis un léger choc au moment où celle-ci s'immobilisait dans un coin de la pièce. Elle s'apprêtait à crier quand une main de fer s'abattit sur sa bouche. Des senteurs mêlées d'eau de Cologne, de tabac et de quelque chose d'indéfinissable — comme une vague odeur d'huile de moteur — lui montèrent aux narines, pendant que son ennemi lançait d'un ton furieux :

— Je vous ordonne de vous calmer, maintenant.

Se calmer ? Oui, elle voulait bien, mais qu'il la laisse d'abord respirer au lieu de la maintenir au sol, prisonnière. La boucle de son ceinturon lui rentrait dans l'estomac et elle étouffait littéralement sous ce corps plaqué sur le sien, dont elle devinait les muscles durs comme de l'acier.

Quelle idiote ! Pourquoi n'avait-elle pas quitté ces bureaux en même temps que le reste du personnel ? Pourquoi n'était-elle pas tranquillement rentrée chez elle, comme tout le monde, à une heure décente ?

Dans la foulée, d'autres questions lui vinrent à l'esprit… dont elle n'était pas vraiment sûre de vouloir connaître les réponses pour le moment ! D'abord, que faisait ce type dans le bureau de Patrick ? Il n'y avait rien à voler ici, aucun argent liquide dans ce grand cabinet de comptabilité. Et surtout, qu'avait-il l'intention de faire d'elle ? Lui revenant soudain, le souvenir d'un article qu'elle avait lu sur le taux croissant de criminalité la fit frémir d'horreur. Comme tant d'autres victimes, allait-elle, elle aussi, finir en photo à la page des faits divers d'un canard de seconde zone ?…

Tandis que mille pensées, toutes plus sombres les unes que les autres, lui tournaient dans la tête, son assaillant glissa légèrement de côté, prenant soin néanmoins de l'empêcher de s'échapper en posant sa jambe en travers de son corps et en enserrant fermement ses deux mains réunies dans la sienne. Lorsque Denise réalisa qu'en changeant de position, il s'était involontairement placé dans le faisceau de la lune, elle ferma immédiatement les yeux : sans doute son agresseur serait-il enclin à plus de clémence si elle était incapable de donner de lui un signalement précis à la police.

Un instant plus tard cependant, la curiosité prenant le pas sur la prudence, elle entrouvrit les yeux. A la seconde où elle aperçut le visage de l'homme, elle ne put retenir un petit cri de surprise. Rêvait-elle ? se demanda-t-elle, en pleine confusion. N'eût été l'air sauvage que lui donnaient ses cheveux trop longs, sa barbe d'une semaine et sa veste de cuir noir, cet individu était... le portrait craché de Patrick Ryan !

— Désolé, dit-il à ce moment-là, comme s'il avait deviné ses pensées, mais si vous n'aviez pas été aussi pressée de me vider votre bombe dans la figure, j'aurais pu me présenter. Je suis Mike Ryan, le frère jumeau de Patrick.

Si Denise comprenait maintenant qu'elle n'avait pas été victime d'une hallucination, cela ne lui disait pas pour autant ce que cet individu fabriquait ici, seul et aussi tard.

— Comment avez-vous réussi à pénétrer dans l'immeuble ? s'enquit-elle.

— La sécurité m'a laissé passer.

— Ah oui, évidemment ! Et que faisiez-vous à rôder dans le noir ?

L'homme ricana d'un air moqueur.

— Il y a eu une coupure d'électricité, vous avez déjà oublié ?

13

— Vous auriez quand même pu dire quelque chose pour m'avertir de votre présence, répliqua Denise tout en se tortillant afin de se libérer.

Elle n'y réussit pas. Pour une raison qu'elle ignorait, Mike Ryan semblait ne pas vouloir lâcher prise.

— Vous ne m'en avez guère donné la possibilité.

— Comment cela ? Vous auriez mille fois eu le temps de crier… Je ne sais pas, moi… Quelque chose du genre : « N'ayez pas peur, je suis le frère de Patrick. » A moins que vous ne soyez de ceux qui prennent un plaisir pervers à effrayer les femmes ?

Dans la pénombre, elle le vit froncer les sourcils.

— Il y a des tas de choses que j'adore faire avec les femmes, dit-il d'une voix profonde qui lui donna le frisson, mais les effrayer, sûrement pas !

Elle déglutit, s'étonnant de constater que sa gorge s'était de nouveau asséchée, tandis que son adversaire poursuivait sur sa lancée :

— Maintenant que vous savez qui je suis, vous pourriez peut-être vous présenter à votre tour ? Qui êtes-vous donc ? Patrick aurait-il une petite amie dont il ne m'aurait pas parlé ?

— Possible. Mais si c'est le cas, ce n'est pas moi, railla Denise, essayant vainement d'ignorer la main que Mike promenait sur la courbe de sa hanche.

— Tant mieux, approuva celui-ci d'une voix particulièrement sensuelle.

Quelques secondes s'écoulèrent avant qu'il ajoute, sur un ton plus normal, cette fois :

— Votre nom ?

— Denise Torrance. Je travaille avec mon père, le patron de Torrance Accounting, qui emploie aussi Patrick. J'étais venue chercher quelques dossiers et… Mais je me demande pourquoi je vous raconte tout cela.

Il haussa les épaules.

— Et bien entendu, je suis supposé vous croire sur parole ?

— Pour être franche, je me fiche pas mal que vous me croyiez ou non, protesta la jeune femme avec une assurance feinte.

Plus que le ricanement sceptique de Mike, ce qui effraya surtout Denise à cet instant, ce fut la caresse de sa paume qui s'égarait lentement vers son ventre. Comme sous la menace d'un danger imminent, son corps tout entier se contracta. Mais à sa peur se mêlaient aussi d'autres sensations bien plus troubles qui lui firent monter le rouge aux joues et, pour la première fois depuis qu'elle était entrée dans le bureau de Patrick, elle se réjouit de se trouver dans l'obscurité.

Son assaillant, comme s'il avait deviné ce qu'elle ressentait, partit alors d'un rire grave et profond.

— Je ne vois rien de drôle à cela, marmonna-t-elle, les mâchoires serrées.

— Moi non plus, dit Mike, continuant de la caresser.

A présent, sa main s'était insinuée sous sa veste et remontait dangereusement vers ses seins…

— Ça suffit ! lança la jeune femme, recouvrant brusquement son courage et sa lucidité.

Elle se contorsionna si prestement qu'elle parvint à dégager un bras. Alors, sans réfléchir, seulement poussée par un instinct de survie, le poing serré, elle visa le menton de son adversaire. Plus surpris par le geste que par le coup qui n'avait fait que l'effleurer, Mike Ryan eut un mouvement de recul.

Sautant aussitôt sur l'occasion, Denise se laissa rouler sur le sol. Un peu plus loin, enfin libérée du joug de son agresseur, elle se releva péniblement, tira sur sa jupe et lissa son tailleur froissé. Le temps de recouvrer ses esprits et elle se planta face à lui.

Etait-ce un effet de son imagination ou ce salaud avait-il réellement l'air de se ficher d'elle ?...

— Pas mal pour une gamine ! ironisa-t-il en se frottant le menton du bout des doigts.

— D'abord, je ne suis pas une gamine, je suis une femme.

Il la gratifia d'un long regard appuyé, qui ne fit qu'aggraver son embarras.

— Oh oui, je m'en suis aperçu, dit-il, un ricanement dans la voix.

Les ampoules se rallumèrent d'un seul coup. Eblouie, la jeune femme cligna des yeux, le temps de se réhabituer à la lumière. C'est alors qu'elle réalisa que l'homme se tenait à deux mètres à peine d'elle, un vague sourire aux lèvres et l'air étonnamment à son aise, compte tenu des circonstances.

L'observant discrètement, elle prit le temps de le détailler... Avec sa barbe de plusieurs jours et ses longs cheveux noirs tombant sur ses épaules, il avait un air ténébreux dont elle n'aurait su dire s'il était naturel ou s'il le cultivait à dessein. Sous sa veste de cuir noir, portée sur une chemise blanche, on devinait la belle musculature d'un corps d'athlète. Son jean délavé moulait ses formes d'une manière presque indécente et des boots de cuir éraflé parachevaient le look de cet homme aux allures de mauvais garçon... au charme ravageur !

Concentrant prudemment son attention sur le visage de Mike Ryan, Denise s'aperçut alors qu'il la fixait avec une intensité particulièrement gênante. Son regard vert la transperçait, comme s'il avait le pouvoir de lire en elle. Lorsque, quelques secondes plus tard, elle réalisa que l'homme prenait un malin plaisir à la plonger dans l'embarras, elle eut de nouveau envie de le gifler… Ce qu'elle aurait sans doute fait si elle n'avait craint de se ridiculiser encore une fois !

Comme il continuait à la détailler ostensiblement, elle resserra les pans de sa veste dans un geste de protection instinctive, puis, essayant de faire bonne figure, elle se redressa en balançant tout le poids de son corps du côté de son talon encore intact. Sa contenance recouvrée ne dura guère, hélas ! Dès que le regard de Mike s'attarda plus qu'il ne l'aurait fallu sur ses seins, elle recommença à danser d'un pied sur l'autre, imaginant ce qu'elle ressentirait s'il posait réellement ses doigts sur sa peau nue… A son grand dam, cette seule pensée suffit à faire monter en elle une violente chaleur.

— Pour tout vous avouer, reprit l'homme en s'asseyant nonchalamment sur un coin du bureau de son frère, je dois dire que c'est bien la première fois qu'une femme m'envoie son poing dans la figure.

— Ça m'étonnerait !

Une lueur d'amusement dans le regard, il croisa les bras.

— Vous savez, Denise, en général les femmes me trouvent plutôt sympathique.

Entendre pour la première fois son prénom prononcé par cette belle voix grave provoqua en elle une indicible émotion, qu'elle s'efforça de refouler… sans succès !

— Sympathique ! Comment pourrais-je trouver sympathique quelqu'un qui m'agresse par surprise, au risque de me faire mourir de peur ?

— Je ne voulais pas vous effrayer.

— Je ne vous crois pas.

— Vous avez tort, ma jolie. Je ne mens jamais à mes petites amies.

— Je ne suis pas votre petite amie.

— Pas encore.

Un instant, Denise demeura bouche bée, choquée tout autant par l'aplomb de Mike que par l'excitation trouble qui l'avait envahie.

— Vous alors, vous êtes insensé ! s'exclama-t-elle, dès qu'elle eut recouvré l'usage de la parole.

— Oui, je sais, répliqua l'homme sur son même ton ironique teinté de suffisance. De quoi parlait-on, déjà ?... Ah oui, de ce coup de poing que vous m'avez donné tout à l'heure, poursuivit-il en palpant son menton. Un pur délice ! Pour sentir de nouveau votre main sur ma peau, je serais prêt à n'importe quoi, vous savez.

En entendant ces paroles, la jeune femme eut l'impression que ses jambes allaient céder et que son cœur s'était emballé sur un tempo fou. Pourtant, maintenant que la lumière était revenue, Mike ne lui faisait plus peur. Alors... ? En fait, ce qui l'effrayait, à présent, réalisa-t-elle après quelques secondes de réflexion, c'était sa réaction à elle. Une réaction illogique, inexplicable, incompréhensible.

Mis à part l'habillement et la longueur des cheveux, les deux frères Ryan se ressemblaient comme deux gouttes d'eau ; pourquoi donc n'avait-elle jamais ressenti pour Patrick ce qu'elle ressentait pour Mike ? Jamais, par exemple, il ne lui était venu à l'idée de rouler par terre, dans ce bureau, avec Patrick Ryan... Jamais elle n'avait eu envie de plonger la main dans ses cheveux... Jamais elle n'avait eu le désir de sentir le picotement de sa barbe sur sa peau... Il y avait là quelque chose de totalement incohérent.

Que lui prenait-il ? Un instant plus tôt, elle était au bord du désespoir, persuadée d'avoir affaire à un fou furieux qui allait la tuer. Et maintenant, elle tremblait de plaisir à la seule idée d'être embrassée par ce même individu !

Non, vraiment, quelque chose ne tournait plus rond.

Les lèvres de Mike s'étirèrent dans un sourire lent et séducteur. Avait-il deviné son trouble ? se demanda-t-elle, tandis que sa respiration se faisait plus saccadée et que des pensées de plus en plus osées lui traversaient l'esprit.

Elle reprit son sac et s'assura rapidement que l'essentiel y était : son porte-monnaie et ses clés de voiture. Tant pis pour les objets restés par terre, elle reviendrait les chercher plus tard. Tout ce qu'elle voulait maintenant, c'était déguerpir au plus vite et oublier cet instant de folie.

— Je vous laisse, dit-elle, se rapprochant de la porte d'un pas mal assuré. Puisque vous êtes le frère de Patrick, je suppose que vous n'êtes pas venu pour commettre un cambriolage ?

— Excellente déduction.

— Pouvez-vous tout de même me dire ce que vous faites là ?

— Et si on allait plutôt prendre un verre pour faire plus ample connaissance ? Vous auriez tout le loisir de me questionner et je vous raconterais tout ce que vous voulez savoir de moi.

Ce qu'elle voulait savoir, c'était seulement pourquoi il lui faisait autant d'effet. La question, justement, qu'elle ne lui poserait jamais !

Il lui sourit de nouveau. « Va-t'en ! Vite ! lui cria la voix de sa conscience. File avant qu'il ne soit trop tard. »

C'était la chose la plus raisonnable à faire, la plus sensée, elle en était consciente. Alors, pourquoi avait-elle tellement envie de rester ?...

— Que dites-vous de ma proposition ? insista Mike. Je vous offre un verre ?

Tentée un instant de prendre la main qui se tendait vers elle, la jeune femme se ravisa, agacée de se découvrir aussi faible devant ce qui n'était après tout qu'une réaction instinctive et purement physique.

— Ryan, écoutez-moi bien, reprit-elle enfin, essayant de ne pas trahir les efforts surhumains qu'elle faisait pour se dominer. Quand bien même nous serions dans le désert et vous seriez le seul à connaître le chemin qui mène à la dernière oasis, je n'accepterais jamais de vous suivre. C'est clair ?

Sur ces mots, elle tourna les talons, quitta le bureau avec toute la dignité dont elle était capable en pareilles circonstances, enfila le couloir et s'arrêta devant l'ascenseur dont elle pressa le bouton. Un instant plus tard, la cabine s'immobilisait sur le palier dans un bruit feutré.

A ce moment-là, juste avant que les portes ne se referment, elle entendit au loin retentir le rire de Mike Ryan.

2.

Mike resta sur le seuil un moment à regarder Denise Torrance s'éloigner. Puis, lorsqu'elle eut disparu, il se tourna vers le bureau de son frère, dont le sol était encore jonché des objets qu'elle avait jetés dans sa précipitation à mettre la main sur sa bombe lacrymogène.

Secouant la tête, il se laissa aller à rire. La prochaine fois qu'il se proposerait pour venir réparer le système d'air conditionné de Patrick, il s'assurerait au préalable de ne pas avoir à affronter une tornade ! Quoique... Tout bien réfléchi, si la tornade en question était blonde aux yeux bleus, avec un visage d'ange piqueté de charmantes taches de rousseur, il était tout prêt à faire une exception...

En fait, il avait déjà envie de revoir cette femme.

Quelle chance ! songea-t-il en commençant à ramasser tout ce qu'elle avait oublié derrière elle. Il n'aurait même pas à chercher un prétexte : en laissant dans ce bureau une bonne partie de ses affaires, Denise lui avait involontairement fourni l'occasion toute trouvée d'une nouvelle rencontre.

En un tour rapide de la pièce, il rassembla les objets éparpillés, les posant au fur et à mesure sur le bureau. Quand vint le tour de la bombe lacrymogène, il eut un temps d'hésitation, se demandant s'il devait la lui rendre.

Inutile de procurer des armes à l'ennemi ! Finalement, il décida de la mettre de côté.

Quand il eut terminé, il détailla le fruit de sa collecte. Comment une femme pouvait-elle transporter autant de choses disparates dans son sac à main ! D'abord, c'était à croire qu'elle avait déménagé sa salle de bains : de la brosse à cheveux au tube de dentifrice, il ne manquait rien. Mais il y avait aussi, en vrac, bien d'autres objets étranges, tels que les restes d'un sandwich emballés dans du papier d'aluminium, des boules Quies, un tournevis et, pour finir, trois gros tubes d'aspirine et autant de boîtes de comprimés contre les aigreurs d'estomac.

Tiens ! Mlle Denise Torrance menait-elle une vie tellement stressante qu'elle devait se promener avec une pharmacie ambulante ? s'interrogea Mike, avant de se dire que ce n'étaient pas ses affaires. Il avait toujours mis un point d'honneur à ne pas se préoccuper de ce qui ne le concernait pas, et il n'y avait aucune raison pour qu'il déroge ce soir à sa règle de conduite habituelle.

Se souvenant à propos de la raison qui l'avait amené ici, il dirigea ses pas vers l'appareil de climatisation défectueux qui se trouvait dans un coin de la pièce. Il allait se mettre au travail quand un objet brillant sur le sol attira son attention. Il se baissa, le ramassa et le retourna plusieurs fois dans la paume de sa main. C'était une clé, mais pas n'importe laquelle : la clé dont Denise s'était servie pour entrer dans le bureau de Patrick. Une aubaine...

Une raison de plus pour inciter la jeune femme à reprendre contact, songea Mike en glissant le précieux objet dans sa poche. Se réjouissant secrètement, il se dit que si la chance était avec lui, il pourrait peut-être même avoir avec elle une petite aventure... Une aventure sans lendemain, comme il les aimait : pas d'engagement, mais du plaisir, rien que du plaisir. L'occasion aussi de procurer à cette jeune personne stressée qu'était Denise Torrance la distraction dont elle avait sûrement besoin. Faire d'une pierre deux coups, en somme.

Franchement, oui, l'idée n'était vraiment pas pour lui déplaire !

Une douce clarté régnait sur la ville, ce matin. Denise s'était garée devant le grand immeuble de brique et de verre et elle se tenait maintenant, le nez en l'air, le regard rivé sur les lettres de plus d'un mètre de haut qui ornaient la façade.

Ryan's Custom Cycles.

Elle n'avait eu aucun mal à dénicher Mike. Se souvenant que Patrick lui avait dit un jour, par hasard, que son frère tenait un magasin de motos, il lui avait suffi de feuilleter les pages jaunes pour trouver son adresse.

Depuis quelques instants, le malaise l'avait reprise et, en dépit des efforts qu'elle faisait pour le refouler, il lui semblait que rien ne pourrait en venir à bout. Machinalement, et comme pour se rassurer, elle resserra les doigts sur la bandoulière de son sac de cuir, mais encore une fois, son estomac rebelle se contracta désagréablement.

« Calme-toi, s'ordonna-t-elle. Allons, ce n'est qu'un homme. » « Oui, mais pas un homme comme les autres », lui souffla aussitôt une petite voix pernicieuse, venant la narguer. Rassemblant son courage, elle s'élança d'un pas décidé à travers le parking. Bon sang, le temps pressait. Sa première réunion de la journée commençait dans quarante minutes. Comme d'habitude, son père la présiderait et l'homme n'était pas du genre à tolérer le moindre retard.

A la simple idée de devoir affronter la fureur de Richard Torrance, une nouvelle crampe nerveuse lui tordit l'estomac. Elle plongea la main dans son sac pour en extraire un tube dont elle sortit deux comprimés qu'elle avala sans eau, d'un seul coup.

Puis elle réfléchit... Que cela lui plût ou non, elle allait devoir revoir Mike Ryan. Bien sûr, si elle avait été un peu plus courageuse la veille au soir, si elle ne s'était pas laissé intimider au point de s'enfuir en oubliant sa clé derrière elle, elle aurait pu retourner directement — et seule ! — dans le bureau de Patrick pour récupérer tout ce qu'elle y avait laissé : non seulement une partie de ses affaires personnelles mais — et surtout — les dossiers qu'elle était supposée apporter à son père dans moins d'une heure ! Inutile de tergiverser, donc, elle n'avait pas le choix. Maintenant qu'elle était là, le plus dur était fait, se dit-elle pour se réconforter en poussant la porte vitrée du magasin.

Sitôt entrée, elle eut l'impression de se retrouver dans un autre monde. Elle embrassa du regard l'immense showroom. Contre le mur du fond, recouvert de panneaux de bois blond, trônait un long comptoir de réception s'étirant pratiquement d'un bout à l'autre de ce grand hall. L'un des murs latéraux supportait des étagères de verre où étaient exposés des gants, des casques et divers autres accessoires composant la panoplie du parfait motard. Lorsqu'on se tournait de l'autre côté, on avait plutôt l'impression de se trouver dans une galerie d'art : sur un fond crème avaient été accrochés de curieux insignes aux couleurs vives et aux formes variées, ayant tous en commun de vanter la marque Harley-Davidson. Sous ces insignes, sur des cintres accrochés à des portants, étaient suspendus des T-shirts, des vestes et autres vêtements de cuir arborant également le logo de la marque.

Mais le plus impressionnant, c'était encore l'exposition de motos elle-même. Leurs chromes rutilants se reflétaient dans les parquets de bois cirés et, sous le jeu des rayons d'un soleil oblique filtrant à travers les larges vitrines du magasin, les carrosseries métallisées de ces énormes engins aux formes étonnamment élégantes s'animaient d'un étrange ballet de reflets changeants.

Denise hocha la tête, éblouie malgré elle. Si elle s'attendait à cela ! Elle était ici aux antipodes de l'univers qu'elle avait imaginé trouver en arrivant sur le lieu de travail de Mike Ryan : un vieux garage crasseux où s'activaient des mécaniciens buveurs de bière et amateurs de plaisanteries salaces !

Un discret sifflement, derrière elle, la ramena à la réalité. Elle se retourna et vit un barbu, vêtu d'un jean usé et d'une chemise à carreaux, qui la regardait d'un air interloqué.

L'homme l'apostropha.

— Que faites-vous ici ? Vous avez perdu votre chemin ?

Gênée, Denise se tortilla sur place dans son petit tailleur de soie vert d'eau. D'accord, elle n'avait pas le genre de la maison, mais ce n'était pas la peine de le lui faire remarquer de cette façon.

Pour la première fois elle porta son attention sur les quelques clients présents. Zut, eux aussi la regardaient comme si elle débarquait tout droit d'une autre planète ! Apparemment, à voir comment ils étaient habillés, l'uniforme des motards était jean et cuir… cuir et jean. Original ! ricana-t-elle intérieurement, réalisant en même temps qu'elle avait pénétré dans un univers essentiellement masculin : à part elle, il n'y avait ici qu'une seule autre cliente féminine. Une pointe de jalousie la saisit en constatant que cette belle blonde, grande et élancée, était serrée dans un jean qui la moulait comme une seconde peau et faisait ressortir la perfection de sa silhouette. Le temps d'un rêve, elle s'imagina elle aussi dans une tenue provocante, à l'opposé de ses élégants petits tailleurs de femme d'affaires. Quelle idée ! Les vêtements de motard, non, ce n'était vraiment pas son style !

— Vous cherchez quelque chose ? renchérit le barbu qu'elle avait ignoré.

Elle s'obligea à canaliser ses pensées sur la vraie raison de sa présence dans ce magasin. Qu'importait de savoir à quoi elle ressemblerait dans une veste de cuir ? De toute façon, elle n'avait aucune intention d'en acheter une, ni même d'en porter une un jour.

— Non, je ne cherche rien, dit-elle. Ou plutôt, si... En fait, je cherche quelqu'un... Mike Ryan.

L'homme hocha la tête, puis désigna du menton une porte située dans le fond du magasin, derrière le comptoir.

— Il a fait un saut à l'atelier, là, juste derrière. Patientez un peu, il ne devrait pas tarder à revenir.

L'attente, en effet, ne fut pas longue. Quelques instants plus tard, la porte s'ouvrit et Mike apparut. Contrôlant de son mieux l'accélération soudaine de son cœur, Denise s'avança dans sa direction. Lorsqu'elle arriva devant lui, il discutait avec le barbu qui l'avait rejoint avant elle, sans doute pour l'aviser que quelqu'un demandait à le voir. L'homme s'éclipsa rapidement, non sans avoir auparavant murmuré quelque chose que la jeune femme ne comprit pas, mais qui déclencha l'hilarité de Mike.

— Il me disait que vous avez de belles jambes, révéla ce dernier, répondant à la question qu'elle s'était posée sans oser la formuler à voix haute.

Surprise et ne sachant trop comment se comporter, Denise se contenta de hocher la tête en souriant vaguement.

Après tout, qu'est-ce qu'il avait à faire que Tom Jenkins ait regardé les jambes de Denise Torrance ?... Oubliant sa contrariété passagère, Mike s'accouda sur le comptoir pour observer la jeune femme.

De retour chez lui, la veille, après avoir repris ses esprits, il s'était dit qu'il y avait probablement une bonne part d'imagination et de fantasme dans l'attirance instinctive qu'il avait ressentie à la seconde où elle avait pénétré dans le bureau de Patrick. Hélas, il était bien obligé de constater à présent que même dans ce petit tailleur strict et classique, elle lui faisait encore bouillir le sang. Pire, chaque fois que ses talons aiguilles martelaient le sol, il lui semblait entendre au fond de lui une voix chuchoter en cadence : « Prends-la... elle est à toi... prends-la... elle est à toi... ». Allons bon ! Ce n'est rien, se raisonna-t-il au prix d'un effort, rien d'autre que la réaction ordinaire d'un homme normalement constitué face à une jolie fille.

— Eh bien, Denise, que puis-je pour vous ? demanda-t-il, feignant d'oublier qu'il avait lui-même tout fait pour provoquer cette visite !

Il nota alors que son interlocutrice tapotait nerveusement le comptoir, regardant autour d'elle d'un air inquiet comme si elle craignait que quelqu'un surprenne ses paroles. Visiblement, elle était très gênée d'avoir à faire cette démarche.

— Je n'arrive pas à remettre la main sur la clé du bureau de Patrick, avoua-t-elle enfin, parlant bas. Après réflexion, je pense l'avoir oubliée sur place, hier soir, en partant un peu vite. Je me suis donc dit que vous l'auriez peut-être trouvée...

— Oui. Et vous avez également oublié les dossiers dont vous aviez besoin, n'est-ce pas ?

— En effet.

— Et aussi des objets personnels.

Denise eut un soupir d'agacement.

— Je vous dispense d'une énumération, rétorqua-t-elle sèchement. On dirait que vous prenez un malin plaisir à me plonger dans l'embarras.

— Oh, loin de moi cette idée ! protesta Mike avec la plus parfaite mauvaise foi, gratifiant sa compagne d'un lent sourire qui parut la déstabiliser davantage. D'ailleurs, pourquoi ferais-je cela ? Ce ne serait pas drôle.

— Faut-il donc toujours que les choses soient drôles pour vous ?

— Bien vu ! Je suis un farouche adepte du plaisir et de l'amusement.

Cherchant de toute évidence à contrôler ses réactions, Denise prit une profonde inspiration et posa ses mains à plat sur le comptoir, à quelques centimètres à peine de celles de Mike. Malgré la tentation, ce dernier ne bougea pas, jugeant qu'il était plus prudent d'attendre.

— Ecoutez, Mike, reprit-elle d'une voix plus ferme. Je suis simplement venue pour reprendre ma clé et pouvoir retourner dans le bureau chercher les dossiers dont mon père a besoin.

Il était clair que son ton calme et son regard droit étaient destinés à le convaincre de garder ses distances. Seulement, en ce moment, Mike ne se sentait guère la fibre raisonnable ! S'il avait eu un tant soit peu de sagesse, en effet, il aurait accédé à la demande de Denise Torrance, il lui aurait rendu ses affaires et dit un adieu définitif. Pourquoi ne pouvait-il donc pas s'y résoudre ? Quelle force le poussait irrésistiblement vers elle ?... C'était d'autant plus invraisemblable

28

que cette femme à l'apparence archiconventionnelle n'était pas — mais vraiment pas ! — son genre.

Et pourtant, le fait est qu'il ne pouvait se décider à la laisser partir en sachant qu'il ne la reverrait peut-être plus. C'était comme si quelque chose en lui — une pulsion incontrôlable — lui ordonnait d'aller jusqu'au bout de ce qui était possible...

— Je vais vous proposer un marché, dit-il sous le coup de l'inspiration.

Penchant la tête, elle lui lança un regard de biais extrêmement méfiant.

— Quelle sorte de marché ?

— Je vous rends votre clé tout de suite pour vous permettre de récupérer vos dossiers, mais pour le reste de vos affaires..., il faudra que vous les méritiez.

— Que je les mérite ! s'exclama la jeune femme, écarquillant les yeux de surprise. Et comment ?

— En acceptant de dîner avec moi.

Mike évita soigneusement d'en dire plus. Bien sûr, le dîner, il s'en moquait pas mal ! Ce qu'il voulait, c'était être de nouveau seul avec elle, de préférence dans un petit coin sombre et tranquille où il pourrait l'embrasser et la cajoler à loisir. En réalité, il voulait surtout vérifier que la tempête qui faisait rage en lui depuis la veille disparaîtrait bien une fois son désir comblé.

Signe de son agitation intérieure, Denise s'était à présent mise à faire les cent pas devant le comptoir. De temps à autre, elle jetait des regards inquiets en direction de Mike. Se posait-elle les mêmes questions que lui ? Voyait-elle elle aussi dans ce dîner la chance de s'assurer que rien de sérieux ne les poussait l'un vers l'autre ?...

Après un moment, elle s'immobilisa de nouveau.

— Patrick ne m'avait jamais dit qu'il avait un frère aussi autoritaire, lança-t-elle en fixant Mike droit dans les yeux.

— Cela n'a rien à voir avec de l'autorité, c'est seulement que j'aime faire ce qui me plaît et prendre les choses comme elles viennent, au jour le jour. On ne sait jamais de quoi demain sera fait.

— Que voulez-vous dire ?

A quoi bon tenter d'expliquer l'inexplicable ? Pour comprendre ce qu'il ressentait, il aurait fallu que Denise Torrance ait elle aussi entendu les balles siffler à ses oreilles, vu ses amis mourir, éprouvé ce sentiment angoissant de la brièveté de la vie.

— C'est un peu compliqué, dit-il donc sobrement. En fait, je n'ai pas de règle de vie rigoureuse, je m'adapte seulement aux circonstances au gré de mon humeur et de mes envies.

— Cette réponse ne m'étonne pas, observa la jeune femme avec un sourire en coin.

Mike se demanda ce qu'elle voulait dire, mais il ne la questionna pas. Pour l'heure, il avait un problème autrement plus important à régler...

— Alors, et ce dîner ?

— Vous ne pourriez pas me rendre mes affaires sans compliquer inutilement les choses ?

— Je pourrais... mais je ne veux pas.

Un petit rictus nerveux contracta les lèvres de la jeune femme qui, au même instant, regarda sa montre.

— Bon, d'accord, acquiesça-t-elle d'un ton plus résigné qu'enthousiaste. Voici mon adresse.

Elle posa sur le comptoir une carte de visite tirée de son sac.

— Je passerai vous prendre à 7 h 30.

— Entendu. En tout cas, sachez que je n'accepte que parce que je n'ai pas le choix. Usez-vous toujours du rapport de forces pour contraindre les femmes à dîner avec vous ?

— Seulement si je ne peux pas faire autrement, répondit Mike, refoulant la petite pointe de culpabilité qui l'avait assailli une seconde. Comme je vous l'ai dit tout à l'heure, je m'adapte aux circonstances… Pour ce qui vous concerne, toutefois, contrairement à ce que vous prétendez, vous avez le choix. Plutôt que d'accepter ma proposition, vous pourriez tout aussi bien appeler Patrick et pleurnicher auprès de lui pour l'implorer de voler à votre secours.

— Primo, je ne pleurniche pas. Secundo, je n'ai besoin de personne pour me défendre contre vous, Mike Ryan. Je suis assez grande pour régler mes problèmes seule et, croyez-moi, vous avez intérêt à vous en souvenir, ce sera mieux pour tout le monde.

Sur ces paroles définitives, Denise tourna les talons, laissant Mike totalement abasourdi. Sacrée personnalité ! songea-t-il en la regardant qui se dirigeait, la tête haute, vers la sortie du magasin.

Quelle tenue porter pour dîner avec un homme qui s'habillait comme un voyou ?… Après avoir vainement passé sa garde-robe en revue, Denise avait décidé de se conduire normalement et de ne pas chercher à ressembler à une autre. Finalement, elle avait opté pour une petite robe bleu ciel qu'elle affectionnait particulièrement à cause du contraste un brin provocant entre la sobriété de l'encolure, les manches longues, et le profond décolleté qui dénudait le dos jusqu'à la taille. Après tout, ce n'était que pour une soirée et tant pis si, au restaurant, Mike Ryan et elle donnaient à leurs voisins de table le spectacle du couple le plus mal assorti qui se puisse imaginer !

Devant la glace en pied apposée au mur de l'entrée de son appartement, elle ondula sur place pour s'assurer que le tissu bougeait parfaitement autour d'elle, se retourna pour jeter un coup d'œil par-dessus son épaule et sourit, satisfaite à la vue du reflet que lui renvoyait le miroir. Aucun doute, elle avait fait le bon choix.

Que lui restait-il à faire, maintenant ? Vérifier une dernière fois que ses pendants d'oreilles en saphir étaient bien en place... Colorer sa bouche d'un rien de rose nacré... Puis replacer son tube de rouge à lèvres au fond de son petit sac du soir — une élégante pochette de velours noir accrochée au bout d'une chaînette. Elle était fin prête !

Et Mike ? se demanda-t-elle. Un rapide regard à la pendule derrière elle la rassura : il n'était que 7 h 20. Nom d'un chien, qu'est-ce qui la rendait aussi nerveuse ? Elle n'avait accepté ce dîner que sous la contrainte, elle allait s'y rendre à reculons et de mauvaise grâce, et voilà qu'elle était déjà là, à trépigner d'impatience dix minutes avant l'heure du rendez-vous !

Surprise par un sourd grondement qui venait de l'extérieur, elle tendit l'oreille. Le bruit se rapprochait... Un roulement de tambour ? Non, cela ressemblait plutôt au tonnerre.

— Pitié, il ne va pas se mettre à pleuvoir, bougonna-t-elle tout haut.

Devenu assourdissant, le ronflement semblait à présent s'être fixé juste devant chez elle. Curieuse, elle ouvrit précautionneusement la porte de son appartement.

Oh... !

3.

Denise sortit sur le perron, referma la porte de son
appartement derrière elle, donna un tour de clé et s'engagea
dans l'allée bordée de fleurs qui menait de l'immeuble à
la rue.

Garé le long du trottoir, dans la lumière orangée d'un
lampadaire, Mike l'attendait... juché sur une énorme moto
noire et rouge sang, au moteur pétaradant ! Le ronflement
impressionnant de cet engin — un engin bien plus imposant encore que ceux qu'elle avait vus exposés dans son
magasin — lui fit immédiatement penser au rugissement
sortant des entrailles d'une bête sauvage. Et encore tour-
nait-il au ralenti !

Passé le premier choc causé par cette étonnante machine,
Denise dut aussitôt en encaisser un autre à la vue de Mike
lui-même... Une silhouette noire de la tête aux pieds ou,
plus précisément, du casque aux boots. L'air plus tête brû-
lée que jamais, mais aussi — si cela était possible — plus
dangereusement attirant encore que la nuit précédente...

Il retira son casque. Denise vit alors que ses cheveux tirés
en arrière étaient noués en queue-de-cheval et — suprême
raffinement ! — qu'il s'était rasé pour l'occasion. C'est seulement dans un deuxième temps qu'elle avisa le regard vert

qui la contemplait d'un air approbateur mais légèrement perplexe.

— Vous êtes superbe, lui dit-il. Cependant, je ne crois pas que ce soit la tenue idéale pour faire de la moto.

— Je n'avais pas prévu que je serais obligée de me percher là-dessus, avoua la jeune femme. Si on prenait plutôt ma voiture ?

Mike grimaça.

— Une voiture, vous n'y pensez pas ! Je déteste ça !

Il se retourna pour décrocher le casque maintenu par un tendeur à une haute barre métallique servant de dossier au passager du siège arrière. Puis il le tendit à Denise en disant :

— Mettez ça, c'est obligatoire. Et en route !

Elle lui repoussa la main.

— Mike, je… Attendez-moi, je vais me changer.

— On n'a pas le temps. Allez, dépêchez-vous, on est déjà en retard.

— C'est impossible. Je ne peux pas monter à moto dans cette tenue.

Les lèvres de Mike s'étirèrent dans une amorce de sourire, qui mourut dans la seconde suivante.

— Ça ira, affirma-t-il d'un ton péremptoire. Vous n'aurez qu'à remonter votre robe et la rouler en boule entre vos jambes. Il faut juste éviter qu'elle se coince dans les rayons, c'est simple comme bonjour.

Simple comme bonjour… Facile à dire, oui !

En tout cas, c'était bien la première fois que quelqu'un demandait à Denise de remonter sa jupe pour pouvoir l'emmener au restaurant ! Bien sûr, les hommes qu'elle fréquentait habituellement étaient, eux, des gens normaux, qui se déplaçaient comme tout le monde… en voiture !

34

— Donnez-moi tout juste trois minutes pour me changer, insista-t-elle.

— Il n'y a pas une femme sur terre qui soit capable de s'habiller en trois minutes, s'esclaffa Mike. De toute façon, je vous l'ai déjà dit, nous sommes en retard.

Si son ton était léger, sa mine, en revanche, laissait clairement apparaître qu'il n'était plus d'humeur à discuter. Denise se contenta donc de soupirer sans rien dire.

— Mettez cela sur votre tête, reprit-il en lui tendant de nouveau le casque, et balancez vos jolies gambettes de part et d'autre de ma bécane.

Ses jolies gambettes… Tiens donc !

Il remonta la béquille, se redressa et fit glisser la moto entre ses cuisses. Puis ses mains effectuèrent une légère rotation autour des poignées, à laquelle l'engin répondit par un puissant vrombissement.

Denise se mit subitement à imaginer ses voisins en train de l'espionner derrière leurs rideaux. Mon Dieu, c'en était fini de sa réputation s'ils la voyaient partir avec ce type qui avait davantage l'air d'un cambrioleur que d'un honnête citoyen !

Un nouveau coup d'accélérateur la tira opportunément de ses inquiétudes, mais une autre question lui vint aussitôt à l'esprit.

— Hé, Mike, hurla-t-elle afin de couvrir le bruit du moteur, attendez une minute !

— Quoi ? dit-il, se retournant à demi.

— Où sont mes affaires ? Vous m'aviez promis de me les redonner si je venais avec vous, n'est-ce pas ?

Ils avaient conclu un marché. Elle n'allait pas partir avec lui s'il n'avait pas apporté ce qu'il s'était engagé à lui rendre. Donnant, donnant !

De la main, Mike tapota une de ses sacoches arrière.

35

— Tout est là, ne vous inquiétez pas. A présent, montez.

S'armant de tout son courage, Denise prit son élan pour enfourcher la moto et s'asseoir sur un siège où elle se trouva à l'étroit. Elle se tortilla légèrement à la recherche de la position la moins inconfortable, puis elle prit appui sur les cale-pieds. Des cale-pieds qui n'avaient pas dû avoir souvent l'occasion de soutenir des chaussures de marque italienne à talons aiguilles ! pouffa-t-elle intérieurement. Ensuite, elle remonta sa robe afin de pouvoir sans entrave enserrer les jambes de Mike entre les siennes. Une situation qui, pour grotesque qu'elle fût, offrait tout de même un avantage : servant de tampon, l'épaisseur du tissu ramassé entre ses cuisses lui évitait d'être trop collée au conducteur ! Enfin, pour terminer, elle posa le casque sur sa tête, ce qui lui donna instantanément la désagréable impression que son crâne pesait une tonne.

Comme une nouvelle poussée du moteur, plus forte encore, secouait l'engin, Denise ressentit une trépidation jusqu'au creux du ventre.

— Accrochez-vous à ma taille, ordonna Mike en lui parlant par-dessus son épaule.

Elle s'exécuta. De nouveau il se tourna, juste le temps de crier :

— On peut y aller ? Vous êtes prête ?

Prête à faire de la moto, oui. Pour le reste, c'était une autre histoire… Peu importait. De toute façon, Mike avait déjà démarré sans attendre sa réponse !

Le moteur se tut enfin, laissant place à un silence qui, par contraste, semblait oppressant, presque insupportable.

Après quelques secondes nécessaires pour se remettre, Denise réussit à descendre de la moto, mais à peine eut-elle posé les pieds au sol qu'elle se mit à tituber comme si elle était ivre. Sous l'effet persistant des secousses endurées pendant le trajet, il lui semblait que ses jambes ne la portaient plus. Cette pénible sensation s'estompa heureusement assez vite, pour disparaître totalement dès qu'elle se fut débarrassée du poids de son casque.

Soulagée, elle ébouriffa ses cheveux pour leur redonner du volume, espérant avoir enfin recouvré un état normal. C'est alors, au moment où elle ne s'y attendait plus, qu'un long frisson lui glaça l'échine. Ne comprenant pas ce qui lui arrivait, elle mit d'abord ce froid soudain sur le compte du vent qui arrivait tout droit de l'océan, avant de devoir se rendre à l'évidence : elle était tout simplement troublée de se retrouver, pour la première fois de sa vie, en un lieu aussi… infréquentable.

Pendant que Mike finissait de se garer, elle jeta un regard circulaire sur l'établissement où il l'avait invitée à dîner. Un coup d'œil sur le parking lui confirma ce qu'elle craignait. Il suffisait de voir les cinq ou six camions et la quantité de motos stationnés pour avoir déjà une idée du type de clientèle qui se pressait là. A coup sûr, les gens auxquels elle allait devoir se mêler ce soir ne faisaient pas partie du monde élégant et sérieux qu'elle côtoyait habituellement.

Bien qu'elle n'eût jamais mis les pieds chez O'Doul's, Denise — comme n'importe qui ici, à Sunrise Beach — connaissait au moins de nom cette vieille gargote du siècle passé, réputée pour… son charme délabré ! Dans le cadre de sa politique de conservation du patrimoine, la municipalité avait même envisagé de racheter le bâtiment pour en faire un musée ou quelque autre lieu de manifestations officielles. A en juger par ses murs de planches disjointes, O'Doul's n'avait guère été entretenu depuis sa construction. Un néon rose clignotait, moribond, au-dessus de la porte, annonçant O' DOULS — dernier vestige d'une enseigne qui avait dû être éclatante... il y avait bien longtemps de cela ! Mais l'élément le plus étonnant se trouvait sur le toit. C'était l'emblème du restaurant : un faux goéland géant, qui tenait un poisson dans son bec et qui, du haut de ses cinq mètres, contemplait les allées et venues de la clientèle de son unique œil de verre.

Si son père la voyait ici !... A cette pensée, Denise frémit comme une enfant qui s'apprête à commettre en toute conscience un acte répréhensible. Une fois ou deux, elle avait été tentée de pousser la porte de O'Doul's mais, à la dernière seconde, l'idée que son père pourrait l'apprendre l'avait dissuadée de franchir le pas.

— Ridicule ! murmura-t-elle, se réprimandant comme si elle s'adressait à une étrangère. Une adulte de vingt-neuf ans qui a peur de son papa, pff !

Ridicule, mais vrai, ajouta-t-elle silencieusement. Aujourd'hui encore, il suffisait que Richard Torrance lui lance un regard sévère et désapprobateur pour qu'elle soit de nouveau la petite fille de onze ans, effrayée à l'idée de décevoir un père n'attendant d'elle rien de moins qu'une conduite exemplaire.

L'idée lui traversa l'esprit que par une étrange ironie du sort, il était logique que Mike Ryan fût le premier à l'emmener chez O'Doul's. Car il ne faisait aucun doute que l'homme ne plairait pas plus à son père que l'endroit où il l'avait emmenée !

Restait maintenant à savoir comment elle allait être accueillie dans un lieu pareil avec cette jolie robe élégante, songea-t-elle, aux prises avec une légère inquiétude. Par chance, l'arrivée de Mike lui évita de se tourmenter plus longtemps.

— Vu le monde qu'il y a ici, dit-elle en faisant un geste en direction des motos serrées les unes contre les autres, je comprends pourquoi vous teniez tellement à ce que nous ne soyons pas en retard. Cela a dû être dur d'obtenir une réservation.

— Les réservations, ce n'est pas trop le genre de la maison ! Apparemment, vous n'êtes jamais venue ?

— Non. D'habitude, je ne fréquente pas les restaurants qui ont pour emblème des oiseaux borgnes, ironisa Denise afin de mieux cacher sa gêne.

Un sourire narquois, à peine perceptible, apparut au coin des lèvres de Mike Ryan.

— Pauvre Stanley ! Des sales gamins l'ont mutilé à coups de pierres et vous le critiquez !

— Stanley… ?

— Oui, Stanley le goéland. Le grand frère de l'autre… Jonathan Livingston, précisa Mike, faisant de visibles efforts pour garder son sérieux.

Il fallut quelques secondes à la jeune femme pour comprendre la plaisanterie.

— Livingston… Livingstone… Ça y est, j'y suis, dit-elle en riant. Stanley et Livingstone, ha ! Un peu tirée par les cheveux, mais elle est bien bonne quand même ! Mike hocha la tête.

— Bien joué. Moi qui croyais que vous n'aviez aucun sens de l'humour !

— Pour vous avoir accompagné dans un endroit pareil, il faut bien que j'en aie un peu, non ?

— Vous ne seriez pas chochotte, par hasard ?

— Non, seulement prudente.

— Normal d'être prudente pour une comptable, ricana Mike.

Denise se demanda s'il allait lui sortir une de ces blagues éculées et stupides qu'elle connaissait par cœur, tournant injustement en dérision les gens de sa profession pour leur supposé manque de fantaisie. Mais non, il n'ajouta rien de plus.

— Eh bien, dit-elle, levant une dernière fois les yeux vers le goéland, j'espère au moins que la nourriture est de meilleure qualité que le cadre.

— Ne soyez pas aussi snob, ma jolie. O'Doul's sert les meilleures pizzas de la ville ; seulement, si vous n'arrivez pas de bonne heure, c'est fini, vous pouvez faire une croix sur votre repas.

— Incroyable ! s'exclama la jeune femme en dévisageant son compagnon d'un air incrédule. Est-ce une façon de gérer un restaurant que de refuser de servir les clients ?

— C'est que le patron préfère jouer au billard avec ses amis que de passer trop de temps devant ses fourneaux.

— De mieux en mieux !

En voyant la mine stupéfaite de Denise, Mike éclata de rire. Un rire qui cessa brusquement... lorsqu'elle se retourna.

N'était-ce donc pas assez que le corps de la jeune femme plaqué contre lui, pendant le trajet en moto, lui ait fait subir une véritable torture ? N'avait-il donc pas assez souffert de sentir le frottement de ses seins à chacun de ses mouvements ? Allait-il connaître pire que ces dix kilomètres interminables, avec ses cuisses enserrant les siennes et ses bras autour de sa taille ?...

En tout cas, ce qu'il avait vécu un moment plus tôt n'était rien en comparaison de ce qu'il ressentait à présent devant le décolleté de cette robe qui dénudait le dos de Denise

40

jusqu'à la limite de la décence. Contemplant la peau nue que veloutait un joli hâle, et mourant déjà d'envie de laisser glisser ses doigts sous le tissu — quel plaisir de franchir la frontière interdite... ! —, Mike, le souffle coupé, avait vraiment l'impression qu'il venait de recevoir un direct dans l'estomac. Un moment passa avant que, au prix d'un effort sur lui-même, il parvînt à se dominer.

— Cette robe... Vous auriez dû me prévenir, dit-il enfin, prenant la jeune femme par le bras.

Elle s'immobilisa et se tourna vers lui. La lueur qui illuminait son regard, les rides malicieuses au coin de ses yeux bleus, tout portait à croire qu'elle avait très bien compris ce qu'il voulait dire. Pourtant, elle demanda :

— Ah bon, de quoi parlez-vous ?

Que répondre à cela ? Il ne pouvait tout de même pas lui avouer que cette échancrure dans le dos mettait ses hormones sens dessus dessous ! Encore moins qu'elle avait toutes les chances de provoquer un petite révolution parmi les motards, en entrant chez O'Doul's dans une tenue pareille !

— Disons que je trouve votre bronzage particulièrement réussi, dit-il, évitant soigneusement toute remarque d'ordre plus... personnel.

Denise se contenta de sourire, ce qui n'empêcha pas Mike de se mettre aussitôt à fantasmer. Il imagina la jeune femme nue, étendue au soleil, et lui, à côté d'elle, en train d'enduire sa peau brûlante de crème. Il crut même un instant ressentir réellement sous ses doigts la douceur de sa chair.

— Venez, j'ai faim, dit-il, s'efforçant de canaliser ses pensées sur un sujet moins dangereux.

Mais bon sang, pourquoi, en ce moment, se sentait-il beaucoup plus d'appétit pour le corps bronzé de sa compagne que pour les pizzas de O'Doul's ?...

« Il y a des années que j'aurais dû venir ici », songea Denise, tandis qu'elle s'essayait au billard pour la première fois de sa vie. Si elle avait su que c'était si drôle, elle aurait sûrement osé affronter la colère de son père plus tôt. Sauf que, pour tout dire, elle ne savait pas ce qui lui plaisait le plus... Le jeu lui-même ou son professeur d'un soir ?

Comme une élève appliquée, elle se tenait penchée sur le vieux feutre vert, la queue glissée entre ses doigts. La serrant de près, ses mains refermées sur les siennes, Mike lui enseignait la meilleure façon de diriger son tir. Essayant d'ignorer cette proximité troublante, elle tentait de son mieux de concentrer son attention sur les conseils que son partenaire lui soufflait à l'oreille.

— Prenez votre temps... Restez calme... On a toute la nuit devant nous...

Toute la nuit ?... Hum ! Mon Dieu, était-ce l'eau de Cologne de Mike qui lui tournait la tête ? En tout cas, cette odeur tout ensemble fraîche et virile avait le pouvoir d'éveiller en elle de drôles de pensées inavouables... Fallait-il qu'elle fût perturbée pour trouver même une connotation érotique au mouvement de la canne que Mike faisait glisser d'avant en arrière entre ses doigts !

Levant les yeux une fraction de seconde, elle croisa le regard lubrique d'un homme que Mike, un peu plus tôt, avait appelé Bear. Comme tous les autres clients, il était vêtu d'un jean et d'un blouson de cuir. Gênée, elle s'empressa de baisser les yeux. Mike lui montrait maintenant comment frapper la balle. Des rires fusèrent lorsque la canne visa le vide et manqua sa cible.

— Hé, Mike, hurla un grand gaillard par-dessus les pulsations rythmées d'une musique d'enfer, on dirait que tu perds la main !

— C'est qu'il est troublé, ce soir, répliqua quelqu'un d'autre, un peu plus loin.

La remarque déclencha de nouveaux rires, tandis que Denise bénissait silencieusement la fumée de cigarettes qui dissimulait son visage empourpré.

Un autre joueur tira à son tour, puis Mike fit signe à Denise de se rapprocher de la table.

— C'est encore à nous, dit-il.

— Je crois que je vais me contenter de vous regarder jouer. Prenez ma place pour finir la partie.

— Vous êtes sûre que vous ne voulez plus essayer ?

La jeune femme acquiesça d'un simple signe de tête. En vérité, elle aurait bien volontiers joué encore un peu… à condition que Mike accepte de se tenir à un mètre d'elle !

Elle resta donc en retrait prudemment pour regarder son compagnon tourner autour de la table à la recherche du meilleur angle de tir. Il s'arrêtait tous les deux ou trois pas pour échanger quelques mots avec ses partenaires de jeu et chaque fois qu'il souriait, Denise ressentait inexplicablement comme un coup au cœur.

Au bout d'un moment, alors qu'elle était pourtant restée à l'observer sans bouger, le vertige la prit et elle crut un instant qu'elle allait tomber. Quelque part, dans un coin de son esprit embrumé, l'idée lui vint que ce devait être la faute de la bière qu'elle avait bue avec sa pizza… Ou peut-être de cette musique de rock sortant des haut-parleurs à pleins tubes… Ou encore de ce lourd nuage de fumée de cigarettes qui empoisonnait l'atmosphère…

Quand sa vision se fut un peu éclaircie, elle vit un grand costaud aux bras tatoués s'approcher de Mike et lui donner dans le dos une grande claque qui aurait envoyé n'importe qui d'autre au tapis.

Lui ne broncha pas.

Sous son T-shirt noir, on devinait un torse ferme et solide comme un roc. Chaque fois qu'il se penchait pour tirer, chaque fois qu'il allongeait le bras, chaque fois qu'il faisait un mouvement, Denise retenait son souffle, absolument fascinée par le jeu de ses muscles. Mon Dieu, elle avait beau avoir la tête qui tournait et les pensées à peu près aussi claires que si elle était plongée dans le coma, il lui restait encore assez de lucidité pour savoir qu'elle s'était fourrée dans les ennuis…

Enfin, la partie se termina sur la victoire de Mike saluée par un flot de cris et de félicitations. Puis une femme brune, serrée dans un jean qui n'aurait pas laissé passer une feuille de papier à cigarette, vint se cramponner à lui comme une sangsue. A ceci près… que les sangsues ne vous encadrent pas le visage entre leurs deux mains pour vous embrasser goulûment sur la bouche !

Devant ce spectacle, Denise serra les mâchoires, sentant monter en elle des envies de meurtre. Puis elle se raisonna. Voyons, de quoi se mêlait-elle ? Après tout, Mike Ryan avait bien le droit d'embrasser qui il voulait, où il voulait. Par-dessus le marché, s'ils étaient ensemble ce soir, ce n'était que pur hasard.

Un peu de bon sens, que diable !

Mike s'écarta et repoussa gentiment Céleste. Seigneur, quelle fougue ! C'était à peine s'il l'avait vue se précipiter sur lui pour l'embrasser à pleine bouche. Non que cela lui fût désagréable, bien au contraire, mais devant le regard

44

désapprobateur de Denise, il s'était brusquement senti coupable comme un gamin pris la main dans le sac.

Ridicule ! Vraiment ridicule ! Au fond, il ne lui devait rien à cette fille. Il n'était ni son petit ami, ni son mari, Dieu merci ! Il était aussi libre que Stanley, perché là-haut sur son toit. Zut, pourquoi une petite voix vint-elle le narguer, juste à ce moment-là, pour lui rappeler que Stanley était solidement attaché ?...

Refusant de se tourmenter pour ces broutilles, il rejoignit sa compagne. Comme il le pressentait, cette dernière lui réserva un accueil plutôt froid.

— Je ne voudrais pas interrompre votre partie de plaisir, dit-elle d'un air pincé.

Mike faillit lui répondre que c'était pourtant bien ce qu'elle avait fait. Mais comme en même temps elle fusillait encore cette pauvre Céleste du regard, il préféra ne pas envenimer la situation et garda ses pensées pour lui.

Le changement de musique tomba à point nommé comme une excellente distraction. Sans hésiter, il prit Denise par la main et l'entraîna vers la minuscule piste de danse, à travers la foule du samedi soir. Une fois ou deux, il sentit qu'elle essayait de lui échapper, mais il resserra son étreinte en continuant à la tirer derrière lui.

Arrivé au bord de la piste, où deux couples se balançaient déjà en cadence sur le rythme d'un slow, Mike se retourna vers Denise. Dans quelques secondes, il allait s'offrir le plaisir de la serrer dans ses bras, et si elle s'imaginait qu'il allait renoncer à elle parce qu'elle lui présentait un visage fermé, elle se faisait des illusions. A vrai dire, il se fichait même royalement de ce qu'elle pouvait penser. Après avoir laissé les autres hommes la lorgner toute la soirée, il considérait simplement que le moment était venu de prendre sa revanche et de montrer publiquement que cette beauté était à lui… Au moins pour quelques heures !

Il l'attira à lui. Elle se laissa faire de mauvaise grâce.

— Dansons, chuchota-t-il à son oreille, humant les délicieux effluves de son parfum fleuri.

Elle leva les yeux. Une flamme passa dans son regard, que Mike n'aurait su définir et qu'il ne chercha d'ailleurs pas à comprendre. Tout ce qu'il voulait, pour le moment, c'était danser avec elle. Rien d'autre.

La mélodie un peu triste d'une vieille chanson des Eagles avait jeté un voile de nostalgie sur l'assemblée. Les mots disaient la solitude des cœurs brisés, une situation qui semblait rappeler des souvenirs émus à bon nombre de ces hommes et femmes qui avaient pourtant l'air de durs à cuire. Ici ou là, des voix reprenaient les paroles en chœur. A cette heure tardive, les masques tombaient et chacun se prenait à imaginer que ces paroles avaient été spécialement écrites à son intention …

Effet magique ou pas, toujours est-il que les réticences de Denise semblèrent aussi fondre en un clin d'œil, lorsque, tout d'un coup, elle s'abandonna dans les bras de son cavalier, la tête posée contre son torse.

Tout au plaisir que lui procurait la caresse soyeuse de ses cheveux sur sa joue, Mike, pour sa part, n'avait que faire de la véritable raison de cette reddition soudaine. Il réfléchirait plus tard… S'il avait le temps ! Pour l'heure, il désirait seulement se repaître de l'odeur de sa peau qui rappelait les senteurs mêlées d'une belle journée d'été, et savourer la douceur de sa chair sous la main impatiente qu'il promenait le long de son dos nu.

La musique les enveloppa et ils se laissèrent bercer en mesure, leurs corps ondulant en harmonie comme s'ils avaient toujours dansé ensemble. Mike sentait palpiter sous ses doigts le corps brûlant de la jeune femme qui poussait des petits soupirs de plaisir en se blottissant davantage contre lui.

Hélas, tout bonheur a une fin. Comme s'égrenaient les dernières notes du refrain, Denise s'écarta et leva les yeux vers Mike. Leurs regards s'accrochèrent l'un à l'autre une fraction de seconde. Brusquement happé dans un tourbillon de pensées dont il avait décidé depuis longtemps qu'elles n'avaient aucune place dans sa vie, Mike était trop troublé, trop décontenancé pour prêter attention aux paroles de la chanson. Il n'entendit donc pas ces mots qui, en guise d'avertissement, disaient qu'il fallait savoir repousser l'amour quand il en était encore temps...

4.

Leurs regards s'étaient rivés l'un à l'autre. En de lentes caresses effleurées, les doigts de Mike continuaient de monter et descendre sur le dos de Denise à la manière d'un pianiste taquinant les touches de son clavier.

Pour son bien, elle se dit qu'elle devait s'écarter de lui au plus vite, mettre fin — pendant qu'elle en avait encore la force — à cette étrange danse muette qui se prolongeait alors que la musique avait cessé depuis quelques minutes déjà.

Impossible !

Leurs corps demeuraient pressés l'un contre l'autre, comme soudés à tout jamais.

Puis au slow succéda un rock et le charme fut rompu. Un couple vint heurter violemment Denise qui aurait perdu l'équilibre si Mike ne l'avait pas rattrapée à temps par les épaules. Quand elle leva de nouveau les yeux vers lui, elle constata que son regard vert était redevenu impénétrable, presque sévère. Regrettait-il de s'être imprudemment dévoilé un instant ?... Etait-il fâché contre elle ?

La jeune femme grimaça. Cette musique hurlante lui vrillait les tympans et la batterie lui martelait les tempes.

Elle voulait s'éloigner de la sono lorsque Mike la retint par le bras.

— Allons-nous-en, dit-il, je vais vous raccompagner chez vous.

Il avait raison. Rentrer chez elle était probablement ce qu'elle avait de mieux à faire. Elle avait besoin de se retrouver au calme, dans son cadre habituel, dans la chaleur rassurante et douillette de son appartement. Il lui fallait surtout, et de toute urgence, oublier cette nuit et toutes ces sensations bouleversantes qu'elle avait connues dans les bras d'un individu qui, paradoxalement, n'était pas du tout son genre.

Elle fit un crochet par la table où elle avait laissé son sac, mais, avant qu'elle ait le temps de le prendre, Mike s'en était emparé pour le lui tendre. Puis, sans un mot, d'une ferme pression dans le dos, il la poussa vers la sortie.

Le chemin du retour fut un supplice. Denise fit de son mieux pour éviter de se coller au dos de Mike et même de frôler ses cuisses, s'obligeant ainsi à se tenir raide, les jambes écartées, dans une position des plus inconfortables. Pas facile de rester détendue dans ces conditions, quand, en plus, les vibrations de la puissante machine achevaient de lui tétaniser les muscles !

C'est donc avec un réel soulagement qu'elle retrouva la terre ferme après que Mike se fut garé devant chez elle. Elle enleva son casque et le lui rendit.

— Merci, c'était une soirée tout à fait… intéressante, dit-elle sur un ton qu'elle espérait léger.

Son compagnon la regarda longuement avant de descendre à son tour de sa moto.

— Intéressante, répéta-t-il d'un air pensif en posant son propre casque sur le siège arrière. Oui, je suppose que c'est le mot qui convient.

Puis il ouvrit une de ses sacoches, fouilla dedans et en sortit un sac de plastique qu'il coinça sous son bras.

— Ce sont mes affaires ? s'enquit Denise, tout en se demandant pourquoi Mike ne les lui donnait pas immédiatement.

Il opina de la tête et empoigna la jeune femme par le coude. Puis, d'un geste qui n'appelait pas la contradiction, il commença à la tirer derrière lui en direction de son appartement. La lumière qu'elle avait laissée allumée éclairait le perron et faisait danser des rubans mordorés dans les entrelacs du bougainvillier.

— Vous savez, ce n'est pas la peine de m'accompagner jusque chez moi, dit-elle, je suis parfaitement en sécurité.

Ou plutôt, elle le serait dès que Mike serait parti. Mais il ignora sa protestation, continua à avancer d'un pas décidé, sans la lâcher. Que faire ? Se rebeller encore ? Se mettre à hurler ? Appeler à l'aide ?… La solution la plus sage consistait sûrement à faire semblant de se soumettre. Après tout, ce n'était que l'affaire de quelques instants. Dans cinq secondes, il allait lui dire au revoir sur le pas de sa porte et c'en serait fini.

De fait, dès qu'ils eurent monté les marches du perron, Mike lui remit le sac de plastique qu'il avait gardé sous son bras. Au moment de s'en aller, cependant, Denise nota qu'il semblait hésiter. Bizarrement, ses yeux verts s'étaient teintés d'une lueur froide et une contraction nerveuse crispait sa mâchoire. Pas vraiment la façon la plus courtoise de prendre congé d'une femme après une soirée passée en sa compagnie ! Non mais qu'est-ce qu'il imaginait, ce goujat ? Croyait-il que cela avait été drôle, pour elle, d'être obligée de sortir avec lui ? Quoi qu'il pensât, de toute façon, ce n'était pas une raison pour manifester sa déception aussi ouvertement. Un peu de politesse n'aurait fait de mal à personne !

Refusant de se laisser impressionner par l'air désagréable de son compagnon, Denise afficha un sourire figé.

— Merci encore, dit-elle d'une voix faussement enjouée.

Elle se détourna pour fouiller dans son sac, mais à peine en eut-elle sorti sa clé que Mike la lui prit des mains pour ouvrir la porte à sa place.

— J'ai passé un très bon moment, renchérit-elle avec aplomb.

— Ne vous fatiguez pas !

Elle se figea et dévisagea Mike d'un air surpris.

— Vous dites ?

— Je vous dispense du discours traditionnel d'amabilités convenues, rétorqua-t-il sèchement. Vous n'avez pas passé un bon moment et vous le savez très bien, alors, je vous en prie, pas de bla-bla.

Le mufle ! Cette fois, il passait les bornes.

— Soit, ce n'était pas un bon moment, rétorqua la jeune femme, adoptant à présent le même ton hargneux que lui. Tenons-nous-en donc à l'adjectif que j'utilisais tout à l'heure… « Intéressant », et point final.

— En vérité, c'était bien plus que cela.

— Je ne comprends pas…

— Si, vous savez très bien ce que je veux dire, Denise.

A ces mots, Mike, une main posée sur le chambranle, fit un pas en avant. Maintenant il était tout près d'elle… bien trop près. Bien sûr qu'elle savait ce qu'il voulait dire en affirmant que leur soirée avait été beaucoup plus qu' « intéressante », mais plutôt se faire couper en morceaux que d'admettre qu'un brasier lui avait consumé le corps chaque fois qu'il l'avait serrée d'un peu trop près !

— Ecoutez, Mike, ne jouons pas sur les mots. Et puis, il est tard, il est temps que chacun rentre chez soi.

— Non, pas encore.

Brusquement désorientée, Denise s'adossa au mur sous le regard intense et pénétrant de son compagnon.

— C'est… C'est complètement dingue, bredouilla-t-elle, la gorge nouée.

Mike hocha lentement la tête.

— Dingue ? Peut-être. Mais avant de partir, j'aimerais enfin faire quelque chose que j'ai eu envie de faire toute la soirée.

Son cœur s'était-il réellement arrêté une seconde, avant de se remettre à battre tout d'un coup à toute allure ? se demanda Denise. Mon Dieu ! Elle retint son souffle tandis que les lèvres de Mike n'étaient plus qu'à quelques centimètres des siennes. Un baiser. Un seul. Oh, cela ne tirait pas à conséquence…

Elle comprit son erreur d'appréciation à la seconde où la bouche de Mike se posa sur la sienne. Ce n'était pas un baiser. C'était… une conquête. Une expérience, en tout cas, qu'elle n'avait jamais connue. Virile. Primitive. Instinctive. Violemment sensuelle. C'était comme si une lumière crue avait explosé dans un flamboiement d'étincelles éblouissantes. La langue de Mike, allant et venant, gourmande et envahissante, se mêlait à la sienne dans une danse sauvage qui lui coupait le souffle. Ce corps viril plaqué contre le sien éveillait son désir avec une force insoupçonnée. Comme dans un brouillard, elle eut vaguement conscience qu'elle était en train de perdre pied. Qu'importait, elle s'en moquait bien ! Elle voulait seulement sentir Mike contre elle… Plus près…

La boucle de son ceinturon lui causait une délicieuse douleur au ventre. Comme s'il avait deviné son désir, il l'attira à lui davantage encore, s'arrachant en même temps à ses lèvres et basculant légèrement le visage en arrière pour la contempler. Mais de sa main plaquée sur ses reins, il continuait de la maintenir si fort contre lui qu'elle avait l'impression que plus rien, jamais, ne pourrait séparer leurs corps comme soudés l'un à l'autre. Cramponnée à lui, elle devinait à travers le cuir de son blouson le contour de ses muscles fermes et, son imagination aidant, il lui semblait sentir son torse nu frémir sous ses doigts enfiévrés.

C'était de la folie. De la folie pure et simple. Comment son sang pouvait-il se changer en lave incandescente pour un homme qu'elle connaissait à peine ?...

Un aboiement la tira de ses réflexions. C'était le Yorkshire de sa voisine, Mme Olsen, elle en était sûre : c'était l'heure de sa promenade nocturne quotidienne. Bon sang, elle devait avoir perdu l'esprit pour être là, sur le perron, en plein dans le faisceau de lumière, en train de se laisser embrasser avec passion. Aurait-elle voulu que tous ses voisins soient au courant qu'elle ne s'y serait pas prise autrement ! Ah, ils devaient déjà bien s'amuser derrière leurs fenêtres ! En outre, dans une minute, Mme Olsen allait monter ces marches et buter en plein sur elle et sur Mike enlacés. Vite, elle devait trouver le moyen de le repousser. Vite, il lui fallait mettre un terme à cet instant d'égarement.

Plus facile à dire qu'à faire avec la main de son compagnon qui s'était à présent insinuée sous le tissu de sa robe et caressait sa peau nue au creux des reins... Oubliant les décisions qu'elle venait de prendre une minute plus tôt, tandis que ses pensées se fondaient dans un voile de brume, elle se cambra en laissant entendre un long soupir d'abandon.

De façon inattendue, cette capitulation fit réagir Mike comme s'il avait reçu un seau d'eau froide sur la tête. Il se pétrifia et leva vers elle un regard empli d'une confusion égale à la sienne. Puis il se massa la nuque en grimaçant, fit un pas en arrière et inspira profondément.

— Denise...

Levant la main, paume en avant, elle lui intima le silence.

— Chut, je ne suis pas en état de discuter pour le moment.

Et c'était peu dire. Franchement, elle était carrément dans le cirage, comme une somnambule que l'on vient de réveiller en sursaut !

— Vous avez raison. Moi non plus, je n'ai pas envie de parler.

Inspirer... Expirer... Cela semblait si simple dès qu'on avait pigé le truc. Même les bébés savaient faire cela d'instinct à la naissance !

Après plusieurs tentatives, Denise recouvra sa respiration normale, en même temps que le courage de tourner la poignée de sa porte d'entrée et de pénétrer chez elle. Se protégeant derrière sa lourde porte de chêne comme derrière un bouclier, elle dit simplement :

— Bonne nuit, Mike.

Sans un mot, il hocha la tête, se retourna, descendit l'escalier et parcourut l'allée fleurie à pas pressés.

Une minute plus tard, la Harley-Davidson l'emportait dans la nuit.

Mike adorait bricoler ses motos. Cela le détendait. Lorsqu'il avait les mains dans le cambouis, son esprit se vidait pour se concentrer exclusivement sur ce qu'il était en train de faire. La plupart du temps, il lui suffisait même de mettre un pied dans l'atelier jouxtant le magasin d'exposition pour que ses soucis s'envolent miraculeusement. Dans cette ambiance, il se sentait comme un poisson dans l'eau. La musique de rock qui sortait de la radio, le brouhaha des conversations entre mécaniciens, le courant d'air frais venant de l'océan tout proche et qui circulait dans le hangar ouvert aux deux extrémités, tout concourait à faire de lui un homme heureux.

Jusqu'à aujourd'hui, tout au moins.

Pour la troisième fois, il essaya de coincer ce satané boulon dans la clé à molette et, pour la troisième fois, manqua son coup et s'écorcha les doigts. Furieux, il jura tout haut.

— Un problème, Mike ?

Ne prenant même pas la peine de se tourner vers Bob Dolan, son chef mécanicien, qui revenait à la charge pour essayer de savoir ce qui n'allait pas, Mike marmonna avec humeur :

— Fous-moi la paix, mon vieux.

— Je sais que ce ne sont pas mes oignons, insista Bob, levant le nez de son banc de travail, mais laisse-moi te dire que si une femme me mettait dans une humeur aussi massacrante, je la larguerais vite fait.

— Ça te va bien de dire ça, toi qui es marié depuis vingt-sept ans, ricana Mike.

— Justement, ma femme ne m'a jamais énervé. Tu m'as déjà vu, moi, être excité au point de passer mes nerfs sur mes collègues de travail ?

Mike posa ses outils et s'étira pour délasser ses muscles noués par la fatigue. Il avait mal partout. Une nuit blanche, suivie d'une journée à ressasser sa frustration, et voilà le résultat ! Quel besoin avait-il eu de venir travailler aujourd'hui au lieu de rester tranquillement à se reposer chez lui ? C'était d'autant plus ridicule que ses employés se débrouillaient très bien sans lui. A l'atelier, il employait les meilleurs mécaniciens de la région et la femme de Bob, Tina, savait mieux que personne recevoir les clients au show-room.

En fait, s'il n'avait pas voulu s'octroyer un jour de congé, c'est tout simplement pour éviter de penser constamment à Denise Torrance et être obligé de reconnaître, au bout du compte, que la jeune femme avait fichu sa journée en l'air comme elle avait gâché sa nuit. Bien entendu, rien n'avait marché comme il l'espérait ! Depuis qu'il avait mis le pied par terre, ce matin, il avait passé son temps à se plaindre, à grogner comme un ours mal léché et à défouler sa mauvaise humeur sur ses employés. Une chance encore que Bob, son ami de longue date, ait été le seul à être assez libre pour protester, mais, à cette heure-ci, les autres devaient ronger leur frein et probablement être sur le point d'exploser à leur tour.

— Si tu as besoin de parler, je suis là, suggéra Bob gentiment.

Mike haussa les épaules.

— Parler ? Et de quoi ? Je n'ai strictement rien à dire.

Bob secoua la tête d'un air dubitatif, reposa sur le plan de travail, devant lui, le carburateur qu'il était en train de remonter, jeta un rapide coup d'œil vers les deux autres mécaniciens occupés à cinq mètres de là, et traversa le garage en direction de son patron.

Arrivé devant lui, il attaqua, droit au but.

— Quelque chose t'a rongé toute la journée. Allez, crache le morceau, ça te fera du bien.

En essuyant ses mains graisseuses sur un chiffon sale, Mike se prit à regretter d'avoir embauché quelqu'un qui le connaissait aussi bien que Bob Dolan. Si on venait un jour lui demander un conseil de recrutement, le premier qu'il donnerait serait : N'employez jamais votre meilleur ami. Pour lui, c'était trop tard et il lui fallait bien, à présent, supporter encore une fois cette façon horripilante qu'avait Bob de lire en lui comme dans un livre ouvert.

— Tu comprends, ce serait différent si tu étais le genre de type à souffrir en silence, poursuivit ce dernier en riant sous cape, mais avec ce que tu nous as fait endurer depuis ce matin !

Inutile de nier. Mike comprit qu'il ne lui restait plus qu'à s'excuser.

— Désolé. Je regrette de vous avoir mis la pression, je n'aurais pas dû.

Bob lissa lentement sa barbe poivre et sel avec l'air d'un homme plongé dans une profonde réflexion. Puis, au bout de quelques instants, il croisa les bras sur sa poitrine, se planta face à Mike et lança de but en blanc :

— Eh bien, si tu me disais maintenant comment elle s'appelle.

— Qui a dit que c'était une histoire de femme ?

— Et qu'est-ce que ça pourrait bien être d'autre ?

— Bon, j'avoue, admit Mike en soupirant.

Tenté une fraction de seconde de demander conseil à son ami, il se ravisa. S'il avait dû revoir Denise Torrance, peut-être aurait-il eu besoin d'un avis, mais ce n'était pas le cas.

Néanmoins, il sentait que parler de cette femme avec Bob lui ferait le plus grand bien. Même s'il n'avait rien de concret à lui demander, le seul fait de pouvoir s'ouvrir à quelqu'un l'aiderait sans doute à voir plus clair en lui. En outre, à ses yeux, Bob Dolan n'était pas n'importe qui. Tous deux s'étaient connus dans la marine et les épreuves qu'ils avaient traversées ensemble les avaient soudés à vie.

— Elle s'appelle Denise, lâcha-t-il d'un air résigné.

L'expression étonnée qui s'imprima sur le visage de son vieil ami incita Mike à protester :

— Remets-toi, il n'y a rien d'extraordinaire là-dedans.

— Dommage ! Il serait grand temps, justement, que tu te trouves une femme extraordinaire.

— Ça ne m'intéresse pas. Et puis, si tu veux tout savoir, je n'ai rien fait pour la rencontrer. J'ai… Je dirais que … je suis tombé dessus par hasard.

L'enthousiasme de Bob redoubla à cette nouvelle.

— Super ! s'écria-t-il joyeusement. C'est toujours comme cela que commencent les plus belles histoires.

Qui aurait pu deviner que sous le torse de ce grand costaud palpitait un cœur de midinette ? ricana Mike en silence, regardant Bob avec un froncement de sourcils désapprobateur. Il regrettait déjà d'avoir trop parlé. Il était d'autant plus impardonnable de s'être laissé aller à des confidences que la réaction de Bob était parfaitement prévisible : cela faisait des années qu'il essayait de le persuader de se trouver une femme et de se ranger.

— Je savais bien que je n'aurais rien dû te dire !

— Bon ! s'exclama Bob, affichant une soumission trop soudaine pour être sincère. Je ne te dirai plus jamais que tu as besoin de quelqu'un et que le temps passe bien trop vite.

Mike n'était pas dupe, mais il serra les dents pour ne rien dire.

— En attendant, vas-y, raconte-moi tout, poursuivit Bob, cachant de plus en plus mal sa curiosité.

Plissant les yeux, tout autant pour se protéger du soleil illuminant l'atelier en cette fin d'après-midi que pour s'aider à réfléchir, Mike repensa à ce qu'il avait à dire. Des tonnes de choses en vérité ! Mais par où commencer ? Il n'avait pas une grande expérience en matière de bavardages et raconter sa vie n'avait jamais été son passe-temps favori.

— Elle est comptable, dit-il enfin, comme si cela pouvait tout résumer.

L'annonce, en tout cas, fut sans doute assez parlante pour Bob qui laissa entendre un Oh ! de déception. Eclatant alors d'un rire qui attira un instant l'attention des deux autres mécaniciens, Mike ajouta :

— Je sais ce que tu penses, mais rassure-toi, elle ne ressemble pas à la comptable type, telle que tu te l'imagines.

— Ouf !

— Elle est intelligente, drôle, et a une sacrée personnalité... Elle m'a même envoyé son poing dans la figure.

— Ça prouve en effet qu'elle est très intelligente, s'esclaffa Bob.

— Très drôle ! En tout cas, plaisanterie mise à part, il y a réellement en elle quelque chose de... Enfin, quelque chose que je ne sais pas analyser, mais...

— Voilà ce qui te titille : le mystère !

— Peut-être bien, murmura Mike pour lui-même. Le mystère et aussi, probablement, une bonne dose d'attirance sexuelle.

— Et c'est tout ? demanda Bob d'un air entendu. Personnellement, j'ai comme l'impression qu'il y a encore autre chose...

Reprenant ses outils en mains pour signifier indirectement à son ami que cette conversation était terminée, Mike affirma d'un ton péremptoire :

— Eh bien, si tu crois ça, c'est que tu te trompes.

Il voulait bien admettre que le baiser échangé avec Denise l'avait tourneboulé comme il ne l'avait jamais été. Il voulait même bien aussi admettre qu'à plusieurs reprises la jeune femme avait suscité son admiration. D'abord, lorsqu'elle avait accepté de monter sur la moto en dépit de son évidente réticence. Ensuite, lorsqu'elle s'était mise à jouer au billard pour la première fois de sa vie — plutôt pas mal, pour une novice. De façon inattendue, cette pensée ressuscita en lui les sensations qu'il avait éprouvées au moment où, lui montrant comment tenir sa canne, il s'était trouvé avec elle corps à corps... Il ferma les yeux pour essayer de refouler ses émotions, mais n'y parvint pas. Quelque chose de profondément troublant restait là, gravé en lui.

Par un effort de volonté, il finit tout de même par revenir à la raison. Rien de bon ne pouvait advenir de cette rencontre. Pire, elle pouvait déboucher sur un malentendu... Denise Torrance n'était pas le genre de fille à coucher par pur plaisir ; lui, à l'inverse, ne cherchait que des partenaires d'une nuit. Il n'avait donc qu'une façon de se sortir définitivement de cette impasse : aller trouver la jeune femme et mettre les choses au point, une bonne fois pour toutes. Lui dire clairement qu'elle n'avait rien à espérer, rien à attendre.

60

Sans plus hésiter, Mike reposa sa pince sur l'établi et, tournant les talons, fonça droit vers le fond de l'atelier où il rangeait sa moto.

— Où vas-tu ? eut le temps de lui crier Bob avant qu'il ne se fût éloigné.

— Résoudre quelques questions en suspens, répondit-il sans même se retourner.

En entendant la Harley rugir, Bob Dolan se frotta les mains joyeusement. Malgré les dénégations de Mike, lui persistait à penser qu'il y avait de l'amour dans l'air.

Il ferait peut-être bien d'aller tout raconter à Tina, histoire de voir si elle partageait son avis...

5.

Denise entra dans le bureau de son père et s'immobilisa en voyant qu'il était en train de téléphoner. Elle allait repartir quand, levant les yeux un instant, celui-ci lui fit signe d'avancer. En attendant qu'il ait terminé, elle laissa son regard errer au loin, admirant le spectacle qu'offraient les grandes baies vitrées, face à elle. En cette fin de journée, le soleil qui enflammait le ciel de lueurs orangées avait déjà amorcé sa lente descente dans l'infini de l'océan. A l'horizon, des nuages roses ou mauves commençaient à s'effilocher, poussés par le vent comme des morceaux de tulle. Le rite était immuable, mais Denise ne put s'empêcher, comme chaque fois, de s'émerveiller devant cette incroyable palette de couleurs dont la nature se parait à pareille heure.

Le contraste était d'autant plus frappant avec la sobriété de cet immense bureau aux murs blanc cassé et à la moquette crème. Dans cet environnement clair, le grand bureau d'acajou formait la seule tache sombre, au milieu de la pièce. Richard Torrance était assis dos à la fenêtre, se privant ainsi volontairement d'une magnifique vue, afin — disait-il — de ne pas se laisser distraire. Devant le bureau, quatre confortables fauteuils étaient à la disposition des visiteurs. Contre un mur se trouvait un bar encadré de deux canapés de cuir fauve. Et c'était tout. Aucun ordinateur, aucune machine, aucun meuble de rangement inélégant n'encombrait cette vaste pièce. Tout ce qui pouvait briser l'harmonie de l'endroit était relégué dans un cagibi adjacent, relié au bureau par une porte étroite, habilement dissimulée dans des moulures décoratives. Atmosphère feutrée. Une place pour chaque chose et chaque chose à sa place. Dans sa vie privée comme dans sa vie professionnelle, Richard Torrance était un homme d'ordre et cela se voyait !

La communication téléphonique venait de se terminer, mais maintenant, il s'était mis à écrire.

— Je vais rentrer chez moi, dit Denise doucement, histoire de lui rappeler qu'elle patientait toujours.

Comme il continuait d'écrire sans s'occuper d'elle, elle n'osa plus rien ajouter et se contenta de le regarder. De belle prestance, l'homme en imposait même lorsqu'il était assis derrière son bureau. Quelques fils d'argent sur les tempes, un visage long et étroit, des yeux bleu clair auxquels semblait n'échapper aucun détail, tout en lui respirait le sérieux.

Enfin, il daigna lever les yeux, mais ce fut pour regarder... la pendule !

— Hmm ? Il est bien tôt pour partir, non ?

— Quinze minutes d'avance, dit Denise, en s'empressant de fouiller dans son sac pour y chercher son médicament contre les aigreurs d'estomac.

Comme d'habitude, elle avala d'un trait ses deux comprimés, puis remit son tube dans son sac.

— Un problème ? s'enquit alors son père, constatant qu'elle n'avait pas bougé.

Un problème, oui, en quelque sorte ! faillit dire la jeune femme. Mais elle savait bien que Richard Torrance n'avait rien à faire de ses problèmes personnels. Et tant mieux, après tout, car elle ne se voyait pas lui avouer qu'elle était allée chez O'Doul's... qui plus est, cramponnée à la taille d'un motard, sur une Harley-Davidson !

A cette pensée, un flot d'images troublantes l'assaillirent. Les mêmes que celles qui l'avaient hantée au cours de la nuit précédente quand, cherchant désespérément le sommeil, elle s'était tournée et retournée dans son lit, avant de s'avouer vaincue par le feu infernal qui lui embrasait le corps. Les heures suivantes n'avaient été que tourment. Sans fin, elle s'était demandé comment elle avait pu se laisser à ce point dominer par ses sens. Une question qui, au demeurant, était encore pour elle un mystère...

Un rêve fugace lui vint à l'esprit : elle s'imagina en train de raconter ses soucis à son père qui, pour la première fois, l'écoutait vraiment.

— Eh bien, tu as un problème de travail ? reprit Richard au même moment. Quelque chose ne va pas ?... Au fait, as-tu bouclé le bilan Smithson ? poursuivit-il, comme elle ne répondait pas. Je te rappelle que nous avons rendez-vous avec leur responsable demain matin à 8 heures précises.

Naturellement, pas une seconde son père n'avait pu imaginer que son problème fût autre que professionnel. Pour lui, rien n'existait en dehors de cet important cabinet de comptabilité qu'il dirigeait d'une main de fer. Son travail était toute sa vie. Pour s'y consacrer entièrement, il avait sacrifié sa famille, négligé sa femme et ignoré sa fille... Du moins jusqu'à ce que celle-ci fût en âge de le rejoindre dans l'entreprise !

— Denise, tu rêves ? Et le dossier Smithson ?

— Il est terminé, précisa la jeune femme, revenant brusquement à elle.

Richard Torrance la gratifia d'un de ces sourires qu'il distribuait avec parcimonie.

— Si ton travail est à jour, qu'est-ce qui peut donc bien te préoccuper ? s'étonna-t-il.

Pas question de lui avouer la vérité. Il ne comprendrait jamais l'espèce de fascination qu'elle éprouvait pour Mike Ryan. Une fascination que, à vrai dire, elle-même ne s'expliquait pas ! Mais vite, elle devait dire quelque chose... n'importe quoi... Comme ses pensées tourbillonnaient sans que rien de sensé ne lui vînt à l'esprit, la sonnerie du téléphone la sauva à point nommé. Avec un vague signe de la tête, comme pour indiquer que le chapitre était clos, son père souleva le combiné et fit pivoter son fauteuil pour se placer face à la fenêtre, autrement dit pour lui tourner le dos.

— Allô... Ah, c'est vous, Thomas.

Denise patienta encore quelques instants, puis, comprenant que la conversation risquait de s'éterniser, s'éclipsa sans bruit. Richard Torrance ne se retourna pas. Il l'avait déjà oubliée !

En garant sa moto devant chez Denise Torrance, Mike éprouva l'étrange sensation d'être observé. Ce n'était qu'une intuition certes, mais il était évident que sa présence ne devait pas passer inaperçue dans ce quartier huppé.

Il bloqua la béquille, passa la jambe gauche par-dessus la Harley, enleva son casque et prit le temps de regarder autour de lui. Que fabriquait-il dans cette rue résidentielle bordée de maisons cossues aux pelouses impeccablement entretenues ? Non seulement cet endroit représentait tout ce qu'il exécrait, mais en outre, il était venu y rencontrer une femme qui — il le pressentait — ne pouvait que lui attirer des ennuis !

Quelle idée avait-il eue de l'embrasser ! S'il avait su qu'elle ne quitterait plus ses pensées, il se serait passé de l'approcher. S'il avait pu se douter que le nectar de ses lèvres n'était qu'un poison, il se serait dispensé d'y goûter. A présent, c'était trop tard et il devait assumer une situation dont, somme toute, il était largement responsable.

Cette prise de conscience le ramena au présent et à la véritable raison de sa présence sur ces lieux. Il était venu pour parler à Denise, pour lui dire en termes clairs qu'ils ne devaient plus se revoir. Bien sûr, ce n'était pas de gaieté de cœur qu'il avait décidé d'entreprendre cette démarche. Il avait d'abord longuement réfléchi, avant de conclure qu'il n'avait pas le choix : Denise et lui n'avaient aucun avenir ensemble, mieux valait donc tout de suite trancher dans le vif. D'ailleurs, ce quartier qui symbolisait toutes les valeurs qu'il détestait était une preuve supplémentaire — si besoin avait été — que leurs mondes étaient réellement à des années-lumière l'un de l'autre.

Et qu'importe la violence de leur désir, on n'avait jamais rien construit de sérieux sur une simple attirance sexuelle.

Son casque sous le bras, il laissa sa moto le long du trottoir et partit d'un pas décidé trouver la jeune femme.

Derrière son rideau, Denise aperçut Mike Ryan dans l'allée, devant chez elle. Son sang ne fit qu'un tour. Nom d'un chien, pourquoi était-il revenu sans prévenir ?... Tout en maugréant, elle jeta un coup d'œil à sa tenue vestimentaire. Si elle avait eu l'intention de se montrer repoussante, elle avait choisi exactement ce qu'il fallait en enfilant ce bermuda informe et ce vieux T-shirt trop grand aux couleurs passées !

Au coup de sonnette, elle crut que son cœur lui remontait à la gorge. La main sur la poignée, elle laissa passer quelques instants pour reprendre ses esprits, puis, courageusement, ouvrit la porte.

Leurs regards se rencontrèrent. Toute la journée, elle s'était répété que ce qu'elle avait ressenti pour Mike n'avait été qu'une aberration momentanée, un égarement passager, une erreur de jugement…

Mensonges !

Maintenant qu'il était devant elle, son corps était la proie du même désir, tout aussi illogique, tout aussi irrépressible. Alors qu'elle aurait dû détourner les yeux, Mike l'attirait comme un aimant. Ses épaules et son torse moulés dans un T-shirt noir, ses longues jambes et ses hanches fines serrées dans un jean délavé, oh…

— Il faut qu'on parle, annonça-t-il d'entrée, refroidissant brutalement les ardeurs de la jeune femme.

Parler !… Denise prit une grande respiration et s'exhorta au calme. Voyons, il n'y avait rien de particulièrement dangereux dans le fait de parler. En outre, elle n'était plus une gamine, elle avait vingt-neuf ans tout de même ! A cet âge-là, on était capable de maîtriser ses pulsions. Et puis, bon sang, elle était comptable. Les comptables étaient des gens sérieux et rigoureux, qui savaient brider leurs émotions. Et pour se prouver qu'elle dominait la situation, elle ouvrit la porte toute grande.

— Entrez, dit-elle d'une voix forte.

Mike s'avança dans l'appartement, laissant dans son sillage une odeur d'eau de Cologne qui instantanément lui redonna le vertige. Désireuse de recouvrer l'équilibre qui lui échappait, elle se mit mentalement à réciter ses tables de multiplication. Avec ordre et méthode, elle commença par la table des 2… Vite, elle devait retrouver son univers habituel et ses repères. Les chiffres, c'était son domaine, et elle ne connaissait rien de mieux pour se remettre d'aplomb.

Prenant soin de se tenir à distance respectueuse, elle introduisit son visiteur dans le salon, puis, afin de finir de se rassurer, elle vérifia d'un coup d'œil que rien n'avait changé autour d'elle. Murs blancs, moquette bleue, coussins multicolores égayant un canapé et deux fauteuils de velours sombre... oui, son décor familier était bien le même. Sur la table basse, sa tasse de tisane refroidissait à côté de la pile de dossiers qu'elle avait rapportés du bureau. La télévision allumée en sourdine diffusait des informations.

« Cinq fois un, cinq... Cinq fois deux, dix... » Tout en poursuivant consciencieusement son énumération, elle se tourna vers Mike. Etait-ce une idée ou avait-il réellement l'air gêné ?...

— Denise, reprit-il, entrant aussitôt dans le vif du sujet, ce qui s'est passé entre nous hier soir...

Sept fois six... Zut, tout d'un coup elle avait oublié la suite !

Aucune importance, elle n'avait pas besoin de savoir compter pour freiner immédiatement Mike dans son élan.

— Ce qui s'est passé ne doit plus se reproduire. Jamais ! dit-elle. Ce n'était qu'un accident de parcours. Réfléchissez un peu, nous n'avons strictement rien en commun.

A sa grande surprise, elle entendit son compagnon pousser un soupir de soulagement puis déclarer, avec un demi-sourire :

— Tout à fait d'accord, vous n'êtes pas du tout mon type.

— Vous n'êtes pas non plus mon genre d'homme.

Eh bien, ils avaient incontestablement franchi un grand pas, observa Denise pour elle-même. Tout compte fait, elle était assez satisfaite de la façon dont les choses évoluaient. De toute évidence, Mike avait réfléchi au problème autant qu'elle et, apparemment, il en était venu à la même conclusion : aussi excitante, aussi tentante que l'idée parût, il était tout simplement impossible qu'ils aient une aventure.

— Nous sommes donc sur la même longueur d'onde, conclut-il en s'approchant d'elle.

Le cœur battant, elle recula d'un pas pour reprendre la distance qu'il avait gagnée.

— Parfaitement, réussit-elle à dire en dépit de sa gorge soudain devenue sèche.

Il insista encore.

— Vous et moi, c'est impensable, n'est-ce pas ?

— Oui, impensable.

— Pour ce qui me concerne, je n'ai que faire de l'amour et de toutes ces mièvreries.

Frissonnant sous le regard chaud et insistant que Mike lui portait, Denise parvint tout de même à affirmer à son tour :

— A l'inverse, moi, les aventures d'une nuit ne m'intéressent pas.

— C'est donc bien ce que je disais, nous ne sommes pas faits l'un pour l'autre. Et peu importe l'effet que vous avez sur moi...

Mike s'était de nouveau avancé et, à présent, il lui caressait la joue. Denise retint son souffle. Il faisait si chaud tout d'un coup !

— Simple réaction physique, murmura-t-elle.

— On appelle cela le désir.

— Appelez cela comme vous voulez, cela ne change rien.

Essayant de se calmer, la jeune femme inspira profondément, mais l'eau de Cologne de Mike, une fois de plus, lui fit tourner la tête.

— Oh..., chuchota-t-elle d'une voix faible. On est en danger, n'est-ce pas ?

— Oui, j'en ai bien l'impression.

Elle ne vit rien venir mais en un quart de seconde, les lèvres de Mike avaient emprisonné les siennes. N'opposant aucune résistance à un assaut aussi exquis, elle referma les bras autour de lui, tandis que leurs bouches se mêlaient dans un baiser voluptueux.

Egarée sous la ceinture de son bermuda, la main de Mike commençait doucement à descendre en laissant sur sa peau nue une empreinte brûlante comme un soleil. Instinctivement Denise se plaqua contre ce corps musclé, dense et puissant. Et pendant ce temps-là, il continuait d'explorer sa bouche d'une langue experte, prenant le temps de la déguster ou au contraire la dévorant avec avidité. Il n'y avait rien de tendre ou de romantique dans ce baiser. C'était du désir à l'état brut. De la pure violence. Une réponse à un besoin impérieux montant de leurs entrailles. Pris d'une soif inextinguible, ils s'abreuvaient au souffle l'un de l'autre, se prenaient ou s'offraient tour à tour, comme s'ils voulaient littéralement se fondre l'un dans l'autre.

Denise éprouva donc quelque chose proche de la douleur lorsque Mike abandonna ses lèvres, peu après. Heureusement, elle comprit assez vite que sa souffrance ne durerait pas... Une minute plus tard, elle levait les bras pour aider son compagnon à la débarrasser de son T-shirt. A l'instant où elle sentit sa main se poser sur son sein et son pouce en titiller la pointe en feu, elle arracha d'un coup sec les boutons de la chemise de Mike, fit passer les pans par-dessus le jean et jeta le vêtement au sol. Quand ils furent tous deux bustes nus, ils se pressèrent l'un contre l'autre et, chair contre chair, chaleur contre chaleur, ils se laissèrent embraser.

Du pied Mike écarta la table basse, qui se renversa. Comme si tout cela se passait loin d'elle, Denise entendit vaguement un bruit mat suivi d'un autre, plus léger et en cascade. Elle comprit alors que sa tasse de porcelaine venait de se briser ; elle s'en moquait éperdument !

Mike venait de la faire basculer avec lui sur le tapis et rien ne comptait plus que la main impatiente qu'il promenait sur son corps, comme s'il avait hâte d'en connaître la moindre parcelle. Elle, en réponse, se cramponnait à ses épaules et la fermeté qu'elle palpait sous ses doigts ne faisait que nourrir le feu du désir.

Le corps irradié d'une vive jouissance, elle ferma les yeux pour se concentrer sur le bouleversant plaisir que lui procuraient les lèvres de Mike sur son cou… sa gorge… ses seins. Il lui semblait qu'elle n'avait jamais rien ressenti d'aussi exquis que la douloureuse morsure qu'il lui infligeait maintenant en jouant habilement avec les pointes sensibles de ses mamelons.

— Oh, Denise…, susurra-t-il, tandis qu'elle dénouait le lien retenant sa queue-de-cheval et glissait avec délices les doigts dans l'épaisseur de ses cheveux noirs.

Il n'avait rien dit d'autre que son prénom, mais elle n'avait pas besoin de grands discours pour comprendre la demande pressante de la main qu'il avait glissée sous ses hanches… Elle se souleva à sa rencontre et, en un instant, il la déshabilla entièrement.

— Maintenant, Mike, prends-moi, murmura-t-elle, pressant les hanches contre lui. Je te veux… Tout de suite. J'ai besoin de te sentir en moi… C'est…

71

Sa voix s'éteignit, sans force. Aucun mot ne pouvait traduire ce qu'elle ressentait. C'était plus que du désir, plus que de la concupiscence. C'était comme un appel qui montait des profondeurs d'elle-même, qui la poussait à vouloir s'unir à Mike jusqu'à ne faire plus qu'un avec lui. Le sentir glisser en elle pour finir par n'être qu'un seul et même corps.... Oh, mon Dieu, jamais elle n'avait rien éprouvé d'aussi insensé. C'était tout ensemble follement excitant et terriblement effrayant.

— Bientôt... Oui... Attends, dit Mike d'une voix dont la raucité trahissait un désir au moins égal au sien.

Il s'écarta le temps de se débarrasser de son jean et de son caleçon — quelques secondes tout au plus, qui parurent pourtant à Denise une éternité — puis il revint s'agenouiller entre ses cuisses.

Gémissant de bonheur sous la caresse des grandes mains puissantes pétrissant sa chair tendre, la jeune femme l'implora de nouveau :

— Je t'en supplie, Mike.

Le regard rivé à celui de Denise, Mike se fondit dans la chaleur moite de son corps offert. En entendant la jeune femme gémir, en la sentant s'arc-bouter et vibrer sous lui, il fut à deux doigts de perdre son contrôle. Il lui fallut donc faire appel à tout son courage et à toute sa volonté pour parvenir à endiguer la vague de volupté qui montait trop vite. Les mâchoires serrées, tendu jusqu'à la souffrance, il demeura en elle quelques secondes, parfaitement immobile, le temps que la tension se relâche un peu.

Lorsqu'il se sentit de nouveau capable de se dominer, il commença à aller et venir, accélérant progressivement le rythme de ses assauts. Et bientôt n'exista plus que le désir puissant, irrépressible, de posséder cette femme si

72

profondément et si intensément que, même séparé d'elle, il resterait à tout jamais ancré dans sa chair.

Prisonnier des jambes de sa compagne enlaçant sa taille à la manière d'un étau, il s'abîmait en elle, le corps en sueur, ravagé par un feu inextinguible. Ouvrant les yeux une seconde, il devina dans l'éclat de ses prunelles azur le même besoin urgent de fusion totale que le sien. Alors, d'un seul coup, le barrage céda sous la pression d'une déferlante brutale et ravageuse…

Après avoir fait l'amour, ils demeurèrent enlacés, silencieux et épuisés, puis Mike se laissa rouler sur le côté. Denise, lovée contre lui, se tortilla en gémissant. Son souffle chaud lui caressait le torse et il resta encore un long moment immobile, le temps de se calmer.

Et soudain, quand ses pensées furent redevenues cohérentes, l'horrible réalité s'abattit sur lui comme un coup de tonnerre…

« Impardonnable ! Je suis impardonnable ! », se dit-il avec dégoût et colère. Il venait tout simplement de se conduire comme un adolescent immature. Pour la première fois depuis des années, il avait agi sans réfléchir, il avait laissé son corps décider pour lui, ses sens prendre le pas sur sa raison.

— Toi qui voulais parler, c'est raté, chuchota Denise.

Elle s'écarta légèrement et lui adressa un sourire qu'il lui rendit à contrecœur. A en juger par son air ravi, il était évident qu'elle n'avait pas encore pris conscience de la gravité de la situation.

— Denise…, commença-t-il lentement, cherchant l'inspiration en même temps qu'il parlait. Que s'est-il passé ?

Bon sang, dans le genre « questions idiotes », on n'aurait pas trouvé mieux ! S'il était une chose qu'il savait, hélas ! c'était bien ce qu'ils avaient fait.

— Comment est-ce arrivé ? corrigea-t-il donc, une fraction de seconde plus tard.

— Ça, je n'en sais rien, murmura Denise en se pelotonnant contre lui.

Tandis qu'il lui caressait le dos, il se demanda comment il allait bien pouvoir lui dire ce qu'il avait à lui dire. Ce n'était pas facile ! Il réfléchissait encore lorsque la sonnerie du téléphone interrompit le flot de ses pensées.

Comme la jeune femme ne bougeait pas, le répondeur se déclencha.

— « Denise ? Bon, apparemment, tu n'es pas chez toi. », dit une voix d'homme autoritaire.

Sans comprendre, Mike vit l'expression de sa compagne changer du tout au tout. En un instant, son bonheur se mua en inquiétude, tandis qu'elle lançait vers le combiné téléphonique des regards de résignation apeurée.

— C'est mon père, souffla-t-elle doucement pendant que la voix reprenait.

— « J'espère que tu as bien terminé le dossier Smithson pour le rendez-vous de demain. Et je te rappelle aussi que tu dois déjeuner avec Pete Donahue de Donahue's Delights ; ma secrétaire vous a réservé une table au Tidewater pour midi. C'est un nouveau client, tâche donc d'être à la hauteur pour l'impressionner et le convaincre que son entreprise a tout à gagner à confier sa comptabilité à Torrance Accounting… ».

Pendant que son père, qui n'avait visiblement aucun scrupule à occuper toute la bande du répondeur à son profit, poursuivait ses recommandations, Denise se leva pour rassembler ses affaires et s'habiller. Mike la regarda faire un moment, puis, comprenant que leur moment d'intimité était bel et bien terminé, il imita la jeune femme. Plusieurs fois il la regarda à la dérobée, mais elle semblait l'avoir

74

complètement oublié. Comment pouvait-elle à présent l'ignorer alors que, quelques minutes plus tôt encore, elle ronronnait dans ses bras ? s'interrogea-t-il, s'étonnant de ce brusque revirement d'attitude.

— « … propos, quel était ce problème dont tu voulais me parler ? », reprit son correspondant en soupirant pesamment.

Nouveau sujet d'étonnement pour Mike. Denise Torrance avait donc un problème ?…

— « Bon, il est inutile que je continue à parler dans le vide, ce n'est pas cette maudite machine qui me dira ce qui ne va pas. Tu me raconteras tout cela demain… Je t'ai réservé un créneau demain après-midi dans mon emploi du temps. Rendez-vous à 3 h 10. Au revoir. »

Charmant père qui s'adressait à sa fille comme à l'un de ses clients ! observa Mike en silence.

— Tu as besoin d'un rendez-vous pour voir ton père ? demanda-t-il tout haut.

— Il est très occupé.

Comme si de rien n'était, Denise continuait à remettre de l'ordre dans le salon. Tout en l'aidant à redresser la table basse, à ramasser ses dossiers et les morceaux de tasse brisée, Mike ne put s'empêcher de noter une fois encore combien elle avait l'air tendue. La femme passionnée et sauvage qui lui était apparue un peu plus tôt s'était totalement volatilisée. Et tout cela à la seconde où elle avait entendu la voix de son père. Etrange.

— Alors, comme ça, tu as rendez-vous avec le patron de Donahue's Delights ? Hum, veinarde, leurs beignets sont grandioses, plaisanta-t-il, histoire d'alléger l'atmosphère.

La remarque n'eut pas sur la jeune femme l'effet escompté. Non seulement elle ne se dérida pas, mais elle se referma sur elle-même en croisant ses bras sur sa poitrine dans un geste d'autodéfense. Il était clair que quelque chose n'allait pas. Mais quoi ? Mike n'en avait aucune idée.

Au fond, que l'atmosphère fût devenue glaciale n'était peut-être pas plus mal. Un peu plus tôt ou un peu plus tard, de toute façon ! Cela n'avait fait que préparer le terrain pour ce qu'il avait à lui dire.

— Denise, à propos de ce qui vient de se passer…

— Le sujet est clos, d'accord ?

Ah non, elle allait l'écouter ! Quand il était arrivé chez elle, elle aurait encore pu faire la sourde oreille. Mais plus maintenant. C'était vraiment trop tard.

— J'ai quelque chose de très important à te dire.

— C'était stupide, il n'y a rien d'autre à dire.

Mike se passa les mains dans les cheveux, respira un grand coup, puis lança un trait :

— Ce n'était pas seulement stupide, c'était irresponsable. On a oublié d'utiliser un préservatif !

6.

Etait-ce le monde qui s'était mis à tourner à l'envers ?... ou simplement les murs de cette pièce qui se gondolaient ?

Au bord du malaise, Denise plissa les yeux très fort en espérant retrouver une vision claire, mais rien n'y fit : Mike continuait de lui apparaître à travers un voile de brume.

« Amour non protégé... Grossesse accidentelle... » Les mots résonnaient en elle, lancinants et effrayants. Comment pouvaient-ils s'être conduits de façon aussi insensée ? Nom d'un chien, de nos jours ces choses-là n'arrivaient plus que dans les cauchemars ou dans les mauvais films.

Elle se laissa tomber sur le canapé et, les coudes posés sur ses genoux, enfouit son visage dans ses mains, pendant que Mike défoulait sa nervosité en arpentant la pièce à la manière d'un lion en cage.

— Je tiens tout de même à te rassurer sur un point, dit-il, s'arrêtant soudain de marcher. Sur le plan de la santé au moins, tu n'as pas de souci à te faire : je suis sain.

Pauvre idiote ! s'invectiva Denise. Cet aspect de la question ne l'avait même pas effleurée !

S'apercevant alors que Mike la regardait d'un air interrogateur, comme s'il attendait aussi une confirmation de sa part, elle bredouilla :

— Euh... moi aussi.

Comment aurait-il pu en être autrement ? A vingt-neuf ans, elle n'avait eu que deux amants dans sa vie. Mike Ryan inclus. Finalement, son imprudence était-elle si étonnante au regard de son inexpérience ?

— Maintenant, pour le reste, reprit Mike, de plus en plus tendu, je t'en prie, dis-moi que tu prends la pilule.

— Je voudrais bien, mais...

— Eh bien, c'est le pompon !

Elle le fusilla du regard. Hé, doucement ! N'était-il pas là en train de l'accuser, de vouloir lui faire porter le chapeau ? D'accord, elle était fautive, mais pas plus que lui. Il fallait bien être deux pour faire l'amour, non ? En tout cas, c'était bien à deux — deux irresponsables — qu'ils venaient de commettre l'acte le plus stupide de leur vie.

Ressentant le besoin de boire quelque chose pour se remettre, Denise se leva d'un bond, fonça vers la cuisine et là, se précipita sur le réfrigérateur. Faute de mieux, un peu d'eau ferait l'affaire. Elle s'empara de la première bouteille venue et, avant de refermer la porte, en saisit une deuxième qu'elle offrit à Mike qui lui avait emboîté le pas.

« Et en plus, tu joues à la parfaite maîtresse de maison ! », ricana en elle une petite voix moqueuse.

Elle avala une grande gorgée d'eau et, poursuivant le fil de ses pensées, commenta à voix haute :

— Tout cela est typiquement masculin.

Mike lui lança un regard interdit.

— De quoi parles-tu ? demanda-t-il.

— Maintenant que tu as eu ce que tu voulais, c'est bien facile de fuir tes responsabilités.

— Holà, attends une minute.

— On est deux dans cette histoire, Mike. Tu aurais pu te retenir à temps... ou y penser, toi, à ce satané préservatif. En tout cas, n'essaie pas de faire retomber la faute sur moi seule.

Une hanche appuyée contre le rebord du plan de travail carrelé, Mike prit le temps d'avaler le reste de son eau glacée, puis il reposa la bouteille vide sur la table.

— Je n'ai jamais dit cela et je n'ai pas davantage essayé de fuir mes responsabilités. J'ai seulement regretté que tu n'utilises pas de contraceptif. Peux-tu m'expliquer pourquoi tu ne prends pas la pilule ?

— La pilule me rend malade, voilà pourquoi ! Je ne la supporte pas.

— Alors, comment fais-tu d'habitude ?

— Je ne fais pas ce genre de choses tous les jours, avoua Denise. Je n'ai pas vraiment besoin de moyen de contraception régulier.

Zut ! Qu'avait-elle besoin de se justifier ? Encore un peu et elle lui avouait aussi que la dernière fois qu'elle avait fait l'amour remontait à six ans !

Les bras croisés sur sa poitrine, Mike réfléchit un bon moment.

— Discuter ne nous mènera nulle part, conclut-il enfin. Ce qui est fait est fait, n'y revenons pas. Quelle solution as-tu donc à proposer, maintenant ?

Denise laissa entendre un ricanement étranglé, inspiré tout autant par la colère que par le désespoir.

— Une solution ? Mais bien sûr, c'est si facile ! s'exclama-t-elle d'un ton sarcastique. Je pourrais enterrer un crapaud sous un chêne, un soir de pleine lune… ou faire bouillir les yeux d'une grenouille et en boire le jus en sautant sur un pied, si tu crois que c'est plus efficace.

A bout de patience, elle reposa violemment sa bouteille encore à moitié pleine sur le comptoir de la cuisine. L'eau en jaillit et lui aspergea la main.

— Maintenant, ça suffit, reprit-elle tout en s'essuyant sur son bermuda. Il est préférable qu'on s'en tienne là.

Sans attendre de réponse, elle quitta la pièce pour regagner le salon. Accablée par un sentiment d'impuissance, elle avait l'impression d'être l'actrice d'un feuilleton médiocre, au scénario bête à pleurer. Une de ces histoires à l'eau de rose où les mauvais garçons utilisent les pauvres filles naïves pour satisfaire leurs instincts les plus vils, puis accusent celles-ci de les avoir piégés. Quoique...

Pour être honnête, elle devait bien admettre que Mike ne s'était aucunement servi d'elle à son insu. Il s'était agi d'une séduction mutuelle. Ils avaient certes été incroyablement négligents et insouciants, mais tous deux consentants. Le problème, c'était que si par un malheureux hasard la facture se présentait maintenant — responsabilités partagées ou pas — ce serait à elle et à elle seule de la payer.

Perdue dans ses pensées, elle réalisa que Mike l'avait rejointe en sentant une main ferme lui enserrer le bras.

— Bon sang, Denise, s'écria-t-il en la faisant pivoter sur elle-même pour l'obliger à lui faire face, arrête de me traiter comme si j'étais l'ennemi public n°1 simplement parce que je ne souhaite pas que tu sois enceinte.

— Ce n'est pas à cause de cela, répondit-elle en se dégageant de son emprise. Ce qui me rend furieuse, c'est que tu ne t'en inquiètes que maintenant.

— Je te ferai remarquer que toi non plus tu n'y as pas pensé avant.

Voilà exactement ce qu'elle n'avait pas envie qu'on lui rappelle ! Elle ne voulait pas repenser à la façon dont son corps avait réagi. Jamais elle n'avait connu pareil embrasement en présence d'un homme et elle ne voulait surtout pas revenir sur cet effrayant bouleversement. Si ennuyeuse, si terne qu'eût été sa vie amoureuse jusqu'à présent, au moins était-elle sans danger. En un instant, Mike Ryan avait chamboulé le tranquille équilibre de son existence.

— Denise, reprit-il, si nous avons fait une erreur, nous l'avons faite à deux.

Une erreur... Il appelait cela une erreur !

Une faiblesse ? peut-être. Une imprudence ? certainement. Une folie ? à coup sûr. Mais pas une erreur, corrigea Denise en repensant à ce fabuleux sentiment de plénitude qui l'avait envahie au moment où leurs corps s'étaient unis. Comment pouvait-on rabaisser au rang d'erreur quelque chose d'aussi grandiose, d'aussi magique ?

Et si par malchance ils avaient conçu un enfant, Mike le qualifierait-il aussi d'erreur ?... Cette idée la fit frémir, mais elle n'eut guère le temps de s'y appesantir car il reprit la parole :

— Dans combien de temps sera-t-on fixé ?

Sur le moment, elle faillit lui demander de quoi il parlait, puis revenant à elle, elle se livra à un rapide calcul mental.

— Dans environ dix jours, je saurai ce qu'il en est.

Il hocha la tête.

— Eh bien, ne nous inquiétons pas inutilement par avance. Si tu es enceinte... nous aviserons à ce moment-là.

— Nous ?

— Oui, nous. Toi et moi, si tu préfères. Je t'ai déjà dit que j'assumerais mes responsabilités.

Des paroles sans doute destinées à la réconforter...

— Maintenant, je crois préférable que tu t'en ailles, dit-elle, s'étonnant de retrouver une voix calme.

Des secondes passèrent.

Evitant prudemment de croiser le regard de Mike, Denise s'assit sur le canapé et referma les bras autour de ses genoux ramenés contre sa poitrine.

— Très bien, je m'en vais, dit-il après un moment, d'un ton aussi calme que le sien. Mais je reviendrai.

Le bruit de ses pas résonna dans l'appartement, puis la porte claqua derrière lui. Une fois seule, Denise se laissa aller sur les coussins, derrière elle, et, les yeux fermés, s'absorba dans la méditation...

S'il était un point sur lequel Mike avait eu raison, c'était qu'il était inutile de s'inquiéter trop tôt. S'il s'avérait qu'elle était enceinte, elle aurait tout le temps, plus tard, de se faire du souci... Et tout le temps, pendant les neuf mois à venir, de se ronger les sangs en regrettant amèrement ce bref instant d'égarement.

Depuis la veille, Denise avait pu réfléchir à loisir et, à l'heure où elle avait rejoint Pete Donahue pour leur déjeuner d'affaires, elle était parvenue à un calme raisonné à force de se répéter que la situation n'était pas aussi dramatique qu'elle l'avait cru sur l'instant. Combien de couples, en effet, essayaient en vain d'avoir des enfants ? Les chances qu'entre elle et Mike cela ait marché du premier coup n'étaient donc pas si importantes que cela. Simple question de statistiques. Il y avait des jours où elle aimait vraiment les chiffres par-dessus tout !

Elle signa la note du repas, rangea sa carte de crédit dans son sac et leva les yeux sur Pete Donahue qui la remercia de son invitation d'un aimable sourire. Veuf prématurément, cet homme à la richesse rassurante était encore physiquement assez attirant. Il était ce que l'on pouvait appeler « un parti intéressant » et Denise elle-même, une semaine plus tôt, aurait probablement été flattée d'éveiller son intérêt.

Mais tout avait changé à présent. Depuis sa rencontre avec Mike Ryan, un grand chambardement s'était opéré dans son petit monde tranquille. Elle était si tourneboulée, si déstabilisée, que lorsque Pete posait sur elle ses yeux gris, sereins comme une mer tranquille, elle ne pensait qu'à cet autre regard vert, intense et pénétrant, qui l'avait hantée toute la nuit. N'avait-elle même pas perdu tout bon sens pour se surprendre maintenant à trouver plus seyante une tenue de cuir noir moulante que l'élégant costume bleu sombre de Pete Donahue ?

— Vous pourrez dire à votre père que je suis tout à fait satisfait des services de Torrance Accounting, dit Pete, tout sourires. Rassurez-le. C'est un homme anxieux qui s'investit beaucoup dans son travail, n'est-ce pas ?

« Il ne pense qu'à cela. Hormis son travail, il n'y a rien d'autre dans sa vie. Il n'y a de place pour personne, pas même pour moi », faillit dire Denise. Mais consciente qu'une telle réflexion serait à la fois déplacée et préjudiciable à l'entreprise, elle préféra plaisanter en faisant mine de prendre ce sujet à la légère :

— Vous voulez dire que c'est un bourreau de travail, oui !

— J'étais comme lui autrefois, tellement pris par mon métier que j'en sacrifiais une bonne partie de ma vie privée. Maintenant, c'est différent.

— Pourquoi ? s'enquit la jeune femme, davantage pour avoir l'air de s'intéresser à son client que par réelle curiosité.

— Le décès de ma femme m'a aidé à remettre les choses à leur juste place.

— Oh, je suis désolée, je ne voulais pas être indiscrète.

— Ne vous excusez pas, c'était il y a longtemps... En tout cas, cet événement m'a fait prendre conscience de la véritable valeur des choses. Le travail le plus prenant, la profession la plus passionnante, rien ne mérite qu'on lui sacrifie l'essentiel.

Denise repensa à son père qui, contrairement à Pete Donahue, n'avait rien appris de la vie. Quand sa mère était morte, Denise n'avait que onze ans. Elle aurait eu besoin, à cette époque, que son père redouble d'affection pour combler un peu du vide immense laissé en elle par cette dramatique disparition. Hélas, Richard Torrance avait réagi en se noyant un peu plus dans le travail, à tel point qu'il avait fini par délaisser totalement sa fille.

Par un étrange retournement de situation, la victime qu'elle était s'était imaginée coupable. La petite fille abandonnée, persuadée qu'elle n'avait pas su faire ce qu'il fallait pour mériter d'être aimée, n'avait alors eu de cesse de se racheter en rendant son père fier d'elle. Jusqu'à maintenant, cela avait été sa préoccupation première, son unique but, la seule et grande quête de sa vie. Au bout du compte, avait-elle réussi à s'attirer sinon de l'admiration au moins un peu d'affection ? Elle n'en était même pas sûre.

— Merci encore pour cet agréable moment, Denise, dit Pete, se levant en même temps qu'elle.

— Je vous en prie, c'était un plaisir, répondit-elle machinalement, un sourire poli sur les lèvres.

Ils slalomèrent entre les tables du restaurant et regagnèrent la sortie. Dehors, la clarté éblouissante les surprit un instant.

— Aimez-vous les ballets ? demanda Pete à brûle-pourpoint, tandis qu'il la raccompagnait à sa voiture. Que diriez-vous si je vous invitais à un spectacle, vendredi soir ?

Prise au dépourvu, Denise ralentit inconsciemment le pas, comme pour grappiller quelques secondes, le temps de trouver quelque chose à dire.

— Euh…

84

Elle ne voulait pas offenser un client aussi important en lui avouant que l'idée de sortir avec lui ne l'emballait guère. D'un autre côté, ce pouvait être aussi une bonne occasion d'oublier enfin le seul homme qui occupait ses pensées en ce moment.

Elle n'avait pas encore eu le temps de répondre que Pete ajouta sur un ton énigmatique :

— Bien sûr, lui ne serait peut-être pas d'accord.

Denise ne comprit le sens de ces paroles qu'avec un temps de retard, lorsqu'elle découvrit que, à quelques mètres de là, nonchalamment adossé à la portière de sa voiture, se tenait... Mike Ryan !

En dépit de ses efforts, son cœur s'affola. Pour l'oublier, c'était mal parti !

— Salut, Mike, dit-elle, espérant parvenir à dissimuler son trouble.

Ce dernier lui répondit d'un simple hochement de tête, pour aussitôt concentrer son attention sur l'homme qui l'accompagnait.

Se pliant donc aux présentations d'usage, la jeune femme reprit :

— Pete, voici Mike Ryan, un ami. Mike, je te présente Pete Donahue, le patron de Donahue's Delights.

— Délicieux beignets ! dit Mike en serrant la main qui se tendait vers lui.

Pete marqua un temps de surprise. De toute évidence, il s'était attendu à un commentaire plus classique de la part de quelqu'un qu'il rencontrait pour la première fois !

— Eh bien, je vais vous laisser, déclara-t-il, gratifiant Denise d'un sourire des plus courtois. Pourrai-je vous rappeler ?

— Quand vous voudrez, répondit-elle aimablement, lui sachant gré de disparaître aussi vite.

85

Avec les regards que lui décochait Mike, c'était probablement une sage décision !

— Que fais-tu ici ? demanda-t-elle à Mike, dès que Pete Donahue eut tourné le dos.

— Il fallait absolument que je te voie.

— Et c'est pour cela que tu es venu me déranger au cours d'un repas d'affaires ?

— Mais ton déjeuner est terminé !

— Ce n'est pas une raison.

— La vraie raison, repartit Mike d'une voix plus grave, c'est que je n'arrive pas à t'oublier.

Il vit Denise chercher sa respiration comme si elle suffoquait. Il était clair qu'elle était dans le même état de manque que lui. Une attirance irrésistible les poussait l'un vers l'autre, qu'ils allaient bien devoir gérer intelligemment s'ils ne voulaient pas laisser cette situation leur échapper totalement.

— C'est de la pure folie, murmura-t-elle dans un souffle.

— Oui, je crois que c'est l'expression qui convient, acquiesça-t-il, incapable de contenir ce flot de sensations troublantes qui menaçaient à tout instant de lui faire perdre la raison.

La raison… et pire encore ! soupira-t-il intérieurement. Car il sentait bien que ce n'était pas seulement entre eux une question de sexe. Justement, c'était cela, cette sensation de jouer avec le feu qui l'effrayait par-dessus tout. Pendant des années, il avait réussi à ne pas s'impliquer sentimentalement dans ses relations avec les femmes. Tout au plus, s'était-il permis de ressentir un petit faible passager pour l'une ou l'autre de ses maîtresses. L'amour, il laissait cela aux autres, aux cœurs d'artichauts, aux âmes tendres et sensibles. Lui n'avait besoin de personne.

Alors, que faisait-il là, à courir après une femme qui, inexplicablement, avait le don de le bouleverser comme aucune autre ? Etait-ce cette vulnérabilité qu'il sentait poindre sous son apparente assurance qui le fascinait ou qui, plus bêtement, réveillait en lui de stupides instincts de mâle protecteur ?

Quelques instants plus tôt, il avait même dû se faire violence pour ne pas envoyer son poing dans la figure de Pete Donahue. Et tout cela simplement parce que ce type avait fait naître un sourire sur les lèvres de Denise ! Que lui prenait-il ? De quel droit se montrait-il soudain jaloux comme un tigre ?

— Mike ? Je...

— Non, attends, je sais ce que tu vas dire parce que moi aussi, j'ai pensé à cela toute la nuit. Je suis conscient que tout nous sépare, mais en même temps, ce n'est pas important.

— Bien sûr que si ! Pour s'entendre, il faut au moins avoir quelques points communs.

— Ecoute, tu as bien dit que dans dix jours nous saurions si...

Il dut s'interrompre : les mots s'étaient coincés dans sa gorge. Un mot, en particulier, refusait de franchir ses lèvres... « bébé » !

— Tout ce que je veux dire, reprit-il quelques instants plus tard, c'est que nous pourrions mettre à profit ces dix jours d'attente pour apprendre à mieux nous connaître. Si nous devions être amenés à prendre une décision, ce serait plus facile si nous étions amis, non ?

— Amis..., répéta Denise d'un air rêveur.

Mon Dieu, qu'allait-elle imaginer ?

Mike s'empressa de corriger le tir :

— Je crois que je me suis mal exprimé. « Amis » est sans doute un mot un peu trop fort. Je ne voulais bien sûr pas parler d'engagement à long terme, mais seulement dire que... Enfin, nous pourrions nous conduire comme deux adultes simplement désireux de partager des instants de plaisir intense. En dehors de cela, chacun serait libre de faire ce qui lui plaît.

Comme il le craignait, la jeune femme se raidit en le foudroyant du regard. Oh, il savait bien ce qu'elle attendait : des promesses et des mots tendres — autant dire des paroles qui ne sortiraient jamais de sa bouche. Il avait vu de bien trop près les ravages que pouvait causer l'amour pour avoir un jour l'intention de s'y laisser prendre.

— Je t'ai déjà dit que les aventures ne m'intéressaient pas, finit-elle par dire, confirmant ses suppositions.

Mike hésita avant d'avouer :

— En vérité, je ne sais pas ce que je veux. Il y a incontestablement quelque chose entre nous. Quelque chose qui tout ensemble m'effraie et m'attire. Quelque chose dont il me semble que je ne pourrais plus me passer ... Et toi ?

La jeune femme s'absorba dans une contemplation lointaine, puis son regard revint se poser sur Mike. Que ferait-il si elle le rabrouait ? se demanda-t-il, suspendu à ses lèvres.

— Je ressens la même chose, admit-elle enfin, le soulageant du poids qui l'oppressait.

— Viens ! dit-il, fou de joie, lui tendant la main pour l'inviter à le suivre.

— Où ça ?

D'un geste, il désigna sa moto.

— Faire un tour.

Elle secoua négativement la tête.

— C'est impossible, Mike, il faut que je retourne travailler.

— Ton père est ton patron, tu ne vas quand même pas me dire que tu ne peux pas t'absenter une heure !

— Non, vraiment je ne peux pas.

Il l'enlaça par la taille, l'attira à lui et, noyé dans ce regard bleu dont le souvenir l'avait tenu éveillé une bonne partie de la nuit précédente, il murmura :

— Une heure, rien qu'une heure, le temps d'une partie de billard chez O'Doul's. Tu n'auras qu'à dire que ton déjeuner s'est prolongé.

Elle hésita encore, puis finit par acquiescer :

— Bon, d'accord, mais pas plus d'une heure.

Quatre heures plus tard, Mike raccompagnait Denise sur le parking du restaurant où elle avait laissé sa voiture.

— Je dois reconnaître que tu es une sacrée bonne joueuse de billard, dit-il, tandis qu'elle enlevait son casque et lissait sa minijupe rouge malmenée par la balade.

— Une bonne joueuse… « pour une gamine », c'est ça ? Je te signale que tu me l'as déjà faite celle-là !

Il esquissa un sourire sensuel.

— Tu me trouves sexiste ?

— Sexiste ? non, pas vraiment. Disons plutôt… très mâle !

— Ce n'est pas ce qui t'empêchera de sortir avec moi ce soir, j'espère ? Je passerai te prendre à 8 heures.

Denise regarda sa montre. 5 heures. Donc plus que trois à attendre, calcula-t-elle, brûlant déjà d'impatience.

Et puis, brusquement…

— Oh, mon Dieu ! s'écria-t-elle.

— Que se passe-t-il ?

Fouillant fébrilement dans son sac, elle ne prit même pas le temps de répondre. Dès qu'elle eut remis la main sur sa clé de voiture, elle jeta son sac sur le siège passager et se précipita au volant.

— Denise ? Dis-moi au moins ce qui ne va pas, insista Mike, on dirait qu'il y a le feu tout d'un coup. Pourquoi es-tu si pressée ?

— Il est 5 heures et j'avais rendez-vous avec mon père à 3 h 10, lança-t-elle d'un air affolé, juste avant de claquer sa portière et de démarrer sur les chapeaux de roues.

La plupart des voitures avaient déserté le parking de Torrance Accounting lorsque Denise arriva sur place. Naturellement celle de son père était encore là : l'homme ne quittait jamais son bureau avant 19 heures.

Elle fonça vers l'immeuble, traversa le hall en courant et prit le premier ascenseur qui se présentait pour monter au 3e étage. Les portes s'ouvrirent, bien trop lentement à son goût, sur un couloir feutré qu'elle enfila de même à toute allure. A quelques mètres du bureau de son père, elle ralentit enfin le pas et s'accorda enfin une pause devant la porte, le temps de reprendre sa respiration.

Puis elle frappa doucement et entra.

Richard Torrance leva les yeux, lui adressa un vague sourire, puis replongea dans son travail.

— Papa, je...

— Tu rentres chez toi ? Bien, bien, dit-il en continuant à écrire. A demain, donc.

Contemplant son père, Denise demeura bouche bée et sans réaction une longue minute. Il avait tout simplement oublié le rendez-vous qu'il lui avait donné ! Probablement avait-il omis de le noter sur son agenda tout de suite après avoir raccroché. Des tas de choses tellement plus importantes l'accaparaient chaque jour ! S'était-il même aperçu

90

qu'elle n'était pas venue au bureau cet après-midi ? Rien n'était moins sûr.

Tandis qu'elle rebroussait chemin vers les ascenseurs, Denise se consola en songeant que, aussi décevante que fût l'attitude de son père à son égard, elle lui avait au moins évité d'avoir des comptes à rendre. Après tout, les choses n'avaient pas si mal tourné !

7.

A force de mener une double vie, Denise avait l'impression d'être l'héroïne d'un roman fantastique où les personnages changent de peau en moins de temps qu'il ne faut pour le dire.

Le jour, elle se fondait dans le moule d'une jeune femme aux bonnes manières, posée et sérieuse. La parfaite comptable ! Elle disait ce qu'il fallait et s'habillait comme il convenait. En un mot, elle faisait exactement ce que l'on attendait d'elle.

Quand venait le soir, en revanche, c'était une tout autre facette de sa personnalité qu'elle montrait... Un second rôle qui, en vérité, lui plaisait bien plus que l'autre !

Observant son reflet dans la glace, elle ne put s'empêcher de sourire. Si quelqu'un lui avait dit, un mois plus tôt, qu'elle porterait un jour un pantalon de cuir noir, des boots et un T-shirt rouge arborant le logo de Harley-Davidson, elle l'aurait pris pour un fou. Et pourtant !

La seule chose qui lui posait encore problème, se dit-elle en glissant une barrette dans ses cheveux, c'était ce casque qui pesait une tonne et qui martyrisait sa coiffure. Tout bien considéré, cependant, ce petit désagrément n'était rien au regard du plaisir immense qu'elle retirait de ses balades nocturnes.

En outre, Mike avait raison, le cuir était une matière très agréable, chaude et isolante. Les quelques fois où, au cours de leurs virées à moto, elle s'était contentée de porter un jean, l'air marin qui traversait le tissu lui avait donné la désagréable sensation que des milliers d'aiguilles s'enfonçaient dans sa chair.

Tandis qu'elle enfilait ses boots, assise sur le bord de son lit, elle se demanda où Mike allait l'emmener ce soir. Depuis une semaine, cela avait été chaque fois une nouvelle aventure. S'ils étaient retournés chez O'Doul's, son chevalier servant lui avait aussi fait la surprise de l'emmener dîner tranquillement dans des petits restaurants originaux et peu connus, souvent très à l'écart des grandes routes. Le plus typique avait été cet établissement mexicain, Le Tijuana. A ce souvenir, elle leva de nouveau les yeux vers le miroir, non plus pour s'y contempler mais pour regarder la photo glissée dans un coin du cadre. On la voyait attablée avec Mike, tous deux arborant de larges sombreros colorés. Quelque temps plus tôt, elle aurait sûrement prétendu que c'était un divertissement idiot, et pourtant, elle n'avait jamais autant ri que ce soir-là.

Penser que Mike allait maintenant arriver d'un moment à l'autre suffit à faire monter son excitation. Elle se sentait euphorique comme une adolescente autorisée à sortir le soir pour la première fois de sa vie ! Finalement, elle n'avait qu'à se louer d'avoir accepté la proposition qu'il lui avait faite de profiter de cette dizaine de jours d'attente pour mieux se connaître. Ces soirées avaient été réellement délicieuses. Ils avaient beaucoup parlé, beaucoup ri aussi, et même si le désir avait toujours été présent, ils avaient réussi à rester sagement dans les limites de relations platoniques. Le plaisir sans les risques, en somme.

Sauf que...

Pour être tout à fait honnête, Denise sentait bien aussi que, en dépit des apparences, le danger n'était jamais très loin. Non seulement parce qu'il suffisait d'une étincelle — un effleurement, un regard un peu trop appuyé — pour faire repartir l'incendie qui couvait encore en eux, mais aussi parce que, en quelques jours, était née entre elle et Mike une réelle complicité. Leurs sentiments avaient incontestablement évolué, et ce qui les rapprochait à présent était plus profond que la simple attirance physique qui les avait poussés l'un vers l'autre dès l'instant de leur rencontre.

Allons, inutile d'anticiper les soucis ! se dit-elle en se levant pour attendre le coup de sonnette annonciateur de nouveaux plaisirs. Pour l'heure, elle ne voulait penser qu'à la soirée qu'elle s'apprêtait encore une fois à passer en compagnie de Mike.

Et de fait, ces préoccupations lui seraient sans doute rapidement sorties de la tête si, au moment où elle se remettait debout, elle n'avait été prise de vertige. Des papillons dansaient devant ses yeux et le sol vacillait comme s'il allait d'une seconde à l'autre se dérober sous ses pieds. Elle se laissa retomber sur le lit et ferma les yeux. Par chance le malaise ne dura pas, mais quand elle eut repris ses esprits, une foule d'autres questions, bien plus inquiétantes, lui vinrent à l'esprit.

Bon sang, n'avait-elle pas décidé de ne pas s'angoisser ? maugréa-t-elle en son for intérieur. D'ailleurs, le coup de sonnette tant espéré venait de retentir...

Mike se gara au bord du trottoir, descendit de sa moto et invita Denise à faire de même. Lorsqu'elle eut retiré son casque et remis ses cheveux en place, elle jeta un coup d'œil sur cette rue tranquille, bordée de petites maisons

94

sans prétention mais qui respiraient la paix et la douceur de vivre.

— Où sommes-nous ? demanda-t-elle.

Elle pensait que Mike allait lui dire qu'il l'emmenait chez des amis, aussi tomba-t-elle des nues en l'entendant répondre :

— Ce soir, nous allons chez moi.

Si on lui avait demandé de deviner où il habitait, elle aurait décrit l'appartement typique d'un célibataire, moderne et fonctionnel, sûrement pas cette ravissante maison ancienne, entourée d'un jardinet fermé par une palissade, qui, pour modeste qu'elle fût, avait incontestablement beaucoup de charme.

— C'est joli ici, commenta-t-elle.

Une expression de soulagement s'imprima sur le visage de Mike, comme s'il avait craint son jugement. Peut-être croyait-il qu'en comparaison du quartier où elle vivait, elle trouverait que celui-ci manquait de luxe ?

— Cette maison date de l'époque de mes grands-parents, expliqua-t-il. Ils s'y sont installés le jour même de leur mariage.

Nostalgie ou excès d'imagination, toujours est-il que Denise crut voir ces jeunes mariés qui, une cinquantaine d'années plus tôt, avaient franchi le seuil de cette petite maison pour commencer leur vie commune. Puis, tel un film en accéléré, dans un flash elle vit les années passer. Des enfants, puis des petits-enfants. Et de nouveau, ce même couple, devenu vieux mais toujours ensemble.

Quelle chance avaient ceux qui grandissaient dans l'amour d'une famille ! ne put-elle s'empêcher de penser. Ses souvenirs à elle étaient beaucoup moins plaisants.

— Tes grands-parents sont-ils toujours…, commença-t-elle avant de s'interrompre, craignant d'être trop directe.

Mais Mike finit sa phrase à sa place :

— En vie, tu veux dire ? Oui. Ils ont déménagé à Phoenix il y a quelques années. Grand-père disait que l'humidité de l'océan n'était pas bonne pour les articulations de Grand-mère, mais je crois que ce n'était qu'un prétexte pour aller vivre en lisière d'un golf.

Denise sourit, aussi soulagée d'apprendre que ces gens se portaient bien que si elle les connaissait depuis toujours. Ridicule ! ricana-t-elle tout bas. Et tandis que son regard s'attardait sur la vigne vierge habillant la façade de la maison, elle réalisa qu'elle ne savait pratiquement rien de la famille de Mike. Ce dernier n'avait-il pas dit qu'ils devaient apprendre à mieux se connaître ?...

— Puisqu'on est dans les histoires de famille, reprit-elle donc, je sais que Patrick et toi êtes jumeaux, mais avez-vous d'autres frères ou sœurs ?

Mike releva la béquille de la moto et tout en commençant à pousser son engin dans l'allée du garage, il expliqua :

— Nous sommes quatre garçons. Outre Patrick et moi, les deux plus jeunes, il y a Sean l'aîné et ensuite, Dennis.

— Et aucun n'a voulu reprendre cette maison ? s'étonna Denise.

Pendant qu'elle ouvrait pour lui la porte du garage, il poursuivit :

— Sean est stationné en Caroline du Sud ; Dennis vit sur une péniche ; quant à Patrick, tu le connais, il est tellement attaché à son appartement qu'il ne le quitterait pour rien au monde.

Denise s'adossa au mur du garage pendant que Mike rangeait sa moto.

— Tu disais que Sean est stationné en Caroline. Il est militaire ?

— Oui, militaire de carrière. Dans la marine.

Mike alluma la lumière. Denise s'aperçut alors qu'il avait les traits tendus, comme si cette question l'avait contrarié... Ce qui ne l'empêcha pas pour autant d'enfoncer le clou !

— Tu as quelque chose contre l'armée ? renchérit-elle.

— Je suppose que cette vie convient à Sean. Il aime ça. Moi, cela ne me plaisait pas.

— Tu as été militaire toi aussi ?

— Marine également. Pendant huit ans. J'ai démissionné il y a quelques années.

Le ton s'était fait plus sec, plus cassant. Il était clair que Denise avait touché un point sensible.

— Pourquoi as-tu laissé tomber ? insista-t-elle pourtant encore, poussée par la curiosité.

Il émit un soupir. Lassitude ou exaspération ?... Elle n'aurait pas été étonnée qu'il se mure dans le silence, mais il répondit tout de même.

— Disons que j'ai soupé du désert pour le reste de ma vie.

Un frisson glacé parcourut la jeune femme, pendant que les paroles de Mike se mettaient en place comme les pièces d'un puzzle. Un marine... dans le désert... Il avait certainement participé à la première guerre du Golfe. Quels souvenirs douloureux avait-il rapportés de cette expérience ? Quelles images horribles le hantaient encore ?...

Le temps que Denise s'interroge, Mike avait retrouvé une mine impassible. Réalisant alors qu'elle n'en saurait pas plus pour l'instant, elle songea à la chance qu'il avait eue d'en revenir vivant et, par contrecoup, à celle qu'elle avait, elle, d'être là aujourd'hui en sa présence. La vie tenait à tellement de hasards ! Sans sa rencontre avec Mike Ryan, elle n'aurait jamais laissé s'exprimer la petite flamme de fantaisie qui couvait en elle, elle n'aurait jamais permis à la face cachée de sa personnalité de prendre le pas sur la femme parfaite qu'elle s'était toujours appliquée à être, disciplinée, sérieuse et obéissante.

L'émoi qui s'empara d'elle au moment où Mike lui touchait la main lui rappela aussi bien d'autres choses délicieuses et bouleversantes qu'elle aurait perdues à ne pas le connaître... Mais l'heure n'était pas à une telle remise en question, comprit-elle en entendant son compagnon lui dire :

— Allez, viens, tu as froid.

Il éteignit la lumière du garage et ouvrit la porte du fond qui communiquait directement avec la cuisine. C'était une grande pièce au milieu de laquelle trônait une table en pin qui, à en juger par ses nombreuses entailles, n'était plus de première jeunesse.

— Il y a une âme dans cette maison, observa Denise, puis repensant à ce que Mike lui avait dit de son enfance, elle ajouta : J'imagine quel bonheur cela a dû être de vivre avec trois frères.

Mike se mit à rire, visiblement satisfait d'aborder des souvenirs plus heureux.

— Tu ne peux pas imaginer ! Chez moi, c'était comme un cyclone permanent. Des cris, du bruit, des disputes et des embrassades à n'en plus finir. Et toi ? Tu as aussi des frères et des sœurs ? lui demanda-t-il en lui caressant doucement la joue.

— Aucun.

— Oh, c'est triste, non ?

Denise opina de la tête. Oui, son enfance avait été trop triste, trop calme. Peut-être que si son père s'était mon-

98

tré plus affectueux, sa solitude lui aurait semblé moins pesante...

Refoulant ces pensées, elle poursuivit la conversation :

— Et tes parents, Mike ?

— Ils sont tous les deux à la retraite.

— Dans quel domaine travaillaient-ils ?

— Tu as déjà entendu parler de Wave Cutters ?

A ces mots, il eut un curieux petit sourire qui intrigua Denise.

— Naturellement, dit-elle, c'est la plus grande entreprise de fabrication de matériel de surf de toute la Californie.

Mike lui tourna le dos pour ouvrir le réfrigérateur, de sorte qu'elle ne put voir son expression lorsqu'il dit :

— Eh bien, voilà, c'est eux.

— Qui eux ?

— Mes parents, dit-il en posant sur la table une assiette emplie de sandwichs. Wave Cutters et mes parents, c'est la même chose ! Leur usine fabrique des planches, des combinaisons... et tout ce qui a trait à la pratique du surf. En fait, je devrais plutôt parler au passé puisque, aujourd'hui, c'est à Dennis qu'est revenu le souci de gérer tout cela.

Mike, un fils de riches !... Un peu abasourdie, Denise se laissa tomber sur une chaise.

— Ça ne t'a pas intéressé de reprendre la suite de l'affaire familiale ?

— En vérité, nous sommes tous au conseil d'administration, mais seul Dennis a pris les rênes de la société. Les trois autres, nous nous contentons de récolter les dividendes !

— Tes parents ont dû être furieux que vous ne vous impliquiez pas tous davantage, dit Denise, imaginant la réaction de son propre père si elle lui avait dit qu'elle ne voulait pas travailler avec lui.

Pour elle, à vrai dire, la question ne s'était même pas posée !

Mike, en revanche, sembla trouver l'idée très cocasse.

— Furieux ? Certainement pas ! s'esclaffa-t-il. Comment mon père aurait-il pu être furieux alors que lui-même n'en avait fait qu'à sa tête en refusant de reprendre la petite affaire familiale, une entreprise de réparation de télévisions, pour créer sa propre usine d'équipement de surf ? Au grand dam de mon grand-père, d'ailleurs, qui imaginait à tort qu'il n'y avait aucun avenir dans cette voie... Aujourd'hui encore, obliger mon père à faire quelque chose qu'il n'a pas envie de faire est à peu près aussi efficace que de se taper la tête contre un mur pour le démolir !

« Tel père, tel fils », songea Denise, se gardant toutefois d'en faire la remarque à voix haute.

— Finalement, poursuivit Mike, lorsque Wave Cutters a pris son envol, mon grand-père, beau joueur, a vendu son entreprise pour venir travailler avec son fils. A tous les deux, ils ont réussi à en faire l'affaire florissante qu'elle est aujourd'hui, et maintenant qu'ils sont retraités l'un et l'autre, ils prennent du bon temps en s'adonnant à leurs passions respectives. Le golf pour mon grand-père. Le surf, toujours le surf et rien que le surf pour mes parents.

— Ceux-ci sont restés en Californie ?

Une lueur d'amusement pétilla dans le regard de Mike.

— Penses-tu ! Ils ont acheté une maison face à l'océan, à Hawaii. Il paraît que rien ne vaut les vagues de là-bas, alors... !

100

Encore une fois, Denise se prit à rêver à ce que Richard Torrance penserait de ces deux hommes qui avaient laissé tomber une vie professionnelle bien remplie pour se consacrer exclusivement à leur bon plaisir. Probablement, lui qui ne vivait que par et pour son métier, aurait-il même du mal à croire qu'une telle situation fût possible !

— Que se passe-t-il ? Tu as l'air toute drôle, tout d'un coup, dit Mike. Déçue d'apprendre que j'ai de l'argent ?... que je ne suis pas le dangereux marginal que tu imaginais ?

Tirée de ses songes, Denise répliqua en riant :

— Les deux choses ne sont pas incompatibles. En tout cas, pour moi, argent ou pas, vous êtes le danger incarné, Mike Ryan.

Elle préférait avoir l'air de prendre les choses à la plaisanterie plutôt que d'avouer que, oui, tout en lui était menace, de ses yeux verts à son fascinant sourire...

Quelques pas lui feraient le plus grand bien pour se changer les idées, se dit-elle en se levant. Mais, comme cela lui était déjà arrivé un peu plus tôt dans la soirée, sa vue se troubla légèrement.

— Hep, que se passe-t-il ? demanda Mike, tandis qu'elle se raccrochait à lui.

Deux lentes respirations, et l'étrange impression de vertige se dissipa aussi vite qu'elle était venue.

— Rien, j'ai dû faire un mouvement trop brusque.

Mike la dévisagea d'un air inquiet.

— Tu es sûre que ce n'est que cela ?

« Pas du tout », songea Denise, qui affirma pourtant :

— Absolument sûre.

— Eh bien, dans ce cas, allons-y.

— Où ça ?

Posant sur la table un grand panier d'osier, Mike gratifia la jeune femme d'un de ces sourires charmeurs dont il avait le secret.

— En pique-nique, annonça-t-il.

De hautes falaises déchiquetées les abritaient des regards indiscrets. Au-dessus de leur tête il n'y avait que l'immensité d'un ciel pur, piqueté de myriades d'étoiles et, devant eux, l'océan, bordé de guirlandes blanches, venait mourir sur le sable dans sa danse éternelle.

Une crique déserte au clair de lune… Mike n'était plus très sûr d'avoir choisi l'endroit idéal pour emmener Denise pique-niquer. A moins d'avoir envie de jouer avec le feu ?…

A quelques mètres de lui, le regard perdu au loin et comme fascinée par le mouvement des vagues, la jeune femme buvait son vin en silence. La pleine lune déversait sur son corps comme un flot d'argent en fusion qui soulignait ses formes et la rendait encore plus belle.

Il détourna le regard un instant. La même douleur que celle qu'il connaissait depuis dix jours maintenant revenait le tourmenter. Il avait tellement envie de la toucher ! Quand ils avaient fait l'amour, il avait goûté aux délices du paradis et s'en passer à présent, alors qu'ils se voyaient tous les jours, le mettait au supplice.

Bien sûr, cette situation n'allait pas se prolonger indéfiniment, il le savait. Très bientôt, confrontés à la réalité, ils allaient devoir prendre une décision. Si elle était enceinte… A peine avait-il formulé cette hypothèse que des images du ventre rond de Denise lui vinrent à l'esprit. Mon Dieu, son corps épanoui par la grossesse était encore plus attirant ! Espérant chasser ces pensées d'un geste, il se frotta les yeux tout en se répétant qu'il était ridicule de tirer des plans sur la comète. On verrait bien... En outre, si Denise n'était pas enceinte, elle lui demanderait probablement de cesser toute relation et ce serait beaucoup mieux ainsi.

— Hep ?

La voix de la jeune femme le fit sursauter et revenir au présent.

— Tu vas garder tout le vin pour toi ? dit-elle, tendant son verre vide en riant.

— Tu as déjà trop bu, la taquina Mike.

— Oh, juste quelques gouttes.

Il s'avança jusqu'à elle, prit son verre, qu'il n'emplit qu'au quart, et le lui rendit. Comme elle le remerciait d'un signe de tête, un coup de vent lui ramena les cheveux sur le visage. Elle repoussa ses mèches en arrière et sourit. Mike repensa à la jeune femme farouche et apeurée qui lui était apparue le premier soir, celle qui lui avait envoyé un jet de bombe lacrymogène en pleine figure. Ce soir, le petit animal sauvage s'était laissé apprivoiser. Envolées ses craintes et ses réticences, tout en elle respirait le bonheur, la décontraction... et la sensualité. Oui, elle était trop, beaucoup trop attirante.

— C'est superbe ici, Mike, dit-elle en souriant aux anges. De plus, c'est la première fois que je vais pique-niquer sur une plage.

— Dans quelques semaines, cet endroit sera noir de monde. En pleine journée, il est même difficile d'y trouver un mètre carré pour poser sa serviette.

— En attendant, j'adore cette solitude, ce calme. C'est grandiose !

En même temps qu'elle s'émerveillait, Denise vint se blottir contre lui. Mike se raidit pour repousser la tentation. Aussi claire que fût l'invitation et aussi difficile que

103

cela lui fût d'y résister, il ne voulait pas profiter d'elle au moment où elle était sans défenses.

— Je sais ce que tu penses, dit-elle, se faisant plus chatte encore. Tu crois que je suis ivre, n'est-ce pas ?

— Disons un peu gaie.

— Eh bien, tu as tort, je suis en possession de tous mes moyens.

Et comme si elle voulait donner des preuves de ce qu'elle avançait, elle se planta face à Mike et lui prit les mains pour les plaquer sur ses hanches.

Au premier contact, en la sentant frémir sous ses doigts, il comprit que, contrairement à ce qu'il avait imaginé, elle savait en effet très bien ce qu'elle faisait ! Alors, en dépit de tous ses efforts pour ne pas se laisser déstabiliser, il fut la proie d'un nouvel assaut de trouble.

Imprudent ! Faible ! Incohérent !... Oui, il était sûrement tout cela à la fois, se dit-il, tandis que remontaient encore une fois à sa mémoire les souvenirs de ses années dans les marines, ressuscités par sa conversation avec Denise, une heure plus tôt. Alors qu'il croyait avoir fait définitivement une croix sur cette période, il s'était aperçu qu'il n'en était rien. Tout cela était même encore si vivace qu'il lui avait suffi d'en reparler pour sentir, l'espace d'un bref moment, la brûlure du désert sur sa peau, les relents de sueur et l'odeur de la mort rôder autour de lui. En même temps lui était revenue la promesse qu'il s'était faite sur le champ de bataille, après avoir constaté combien souffraient encore plus que lui ses camarades ayant laissé derrière eux une femme ou une petite amie : s'il s'en sortait vivant, lui ne s'attacherait jamais à personne.

Fallait-il qu'il eût la mémoire bien courte pour ne rien faire alors qu'il sentait clairement des sentiments tendres poindre en lui ! Qui plus est, pour une femme qui portait peut-être son enfant. Mon Dieu, il était grand temps qu'il se ressaisisse.

— Denise, dit-il à brûle-pourpoint, quand saurons-nous exactement si tu es enceinte ?

— J'achèterai un test demain.

Une multitude d'émotions contradictoires assaillit Mike devant l'imminence de ce résultat. Non, il ne voulait absolument pas être père, se disait-il un instant. Cette perspective l'effrayait, l'angoissait… Puis, la seconde suivante, il changeait d'avis et s'imaginait déjà serrant contre lui un tout petit être à la peau douce, une petite fille qui aurait les mêmes cheveux blonds et les mêmes yeux bleus que sa maman.

« Mais que veux-tu réellement ? Ou plutôt, *qui* veux-tu ? Le bébé ou sa mère ? », lui souffla une petite voix moqueuse, à l'intérieur de lui.

— Demain donc, d'une façon ou d'une autre, nous saurons ce qu'il en est, reprit Denise. En attendant, ce soir, ajouta-t-elle d'une voix presque chuchotée, oublions ce souci et ne pensons plus qu'à nous deux. Je veux encore une fois passer une nuit avec toi… peut-être la dernière. Embrasse-moi.

Une sensation indéfinissable, entre douleur et plaisir, saisit Mike au ventre, irradiant bientôt dans tous ses membres. Les bras le long du corps et les poings serrés, il lutta un moment contre la tentation de tenir sa compagne contre lui, refusant encore de reconnaître ce qui s'imposait à lui avec plus d'évidence chaque seconde : il n'avait fait qu'attendre ce moment-là ! S'il l'avait emmenée dans cette crique, au clair de lune, n'était-ce pas justement dans l'espoir secret que la magie opérerait ?…

A quoi bon continuer à jouer l'indifférent ! A quoi bon nier une vérité aussi éclatante !

N'y tenant plus, il enferma la jeune femme dans le cercle de ses bras et, débarrassé comme par enchantement de ses scrupules, s'empara de ses lèvres avec l'ardeur d'un homme dont le désir explose après une trop longue frustration.

8.

Mike entendit le bruit étouffé du verre de Denise tombant dans le sable, puis le long gémissement de plaisir qu'elle poussait comme il laissait ses lèvres glisser langoureusement sur son cou. Oh, il n'en pouvait plus ! Les dix jours qu'il venait de passer — les plus longs de sa vie — avaient usé sa patience et ses capacités de résistance.

En un instant, s'aidant l'un l'autre à se dévêtir, ils se retrouvèrent nus jusqu'à la taille. Poussé par un élan de désir incontrôlable, Mike plaqua alors la jeune femme contre lui. Il avait maintenant un besoin absolu du contact de sa chair, de sa chaleur, de l'odeur de sa peau. C'était vital. Sauvage. Seigneur, il étouffait soudain sur cette plage en pleine nuit ! La brise de l'océan, les vagues qui déferlaient à quelques mètres d'eux, il lui semblait que rien de cela ne pourrait éteindre le feu qui avait pris possession de lui, que rien ne pourrait apaiser la chaleur qui le dévorait. Et le corps de Denise auquel la clarté de la lune conférait un éclat de porcelaine, tout autant que la délicieuse douleur que lui causaient ses ongles plantés dans ses épaules, ne faisaient qu'attiser l'incendie...

Bouton, agrafe et fermeture Eclair ne résistèrent pas très longtemps à sa main fiévreuse s'insinuant alors sous la ceinture de sa compagne.

Le souffle plus saccadé de la jeune femme lui répondit, tel un encouragement muet mais éloquent : elle frémissait du même désir. Elle était à lui, offerte, tendue sous ses baisers, les seins frissonnant sous les tendres agaceries qu'il lui prodiguait de la langue ou du bout des dents.

— Oh, Mike.. Mike…, susurrait-elle.

La raucité de sa voix trahissait le même plaisir que celui qu'il éprouvait et, étrangement, la même souffrance aussi. C'était la douleur exquise de qui sait avec certitude que, tôt ou tard, son attente finira par être comblée.

Plus les baisers de Mike se faisaient avides et sensuels, plus Denise se cambrait avec délectation. Et plus elle lui abandonnait son corps, plus il s'enhardissait. Ils étaient pris dans les remous d'un tourbillon dont ni l'un ni l'autre ne voulaient sortir avant d'avoir touché le fond… le lieu de tous les plaisirs.

Un cri s'étrangla dans la gorge de la jeune femme quand, poursuivant leur lente descente sur son ventre, les lèvres de Mike effleurèrent sa toison. Elle recula d'un pas et, en quelques habiles contorsions, finit elle-même de se déshabiller.

— Tu es si belle, murmura-t-il, subjugué par sa nudité offerte.

Comme mue par une volonté propre, sa main s'égarait à présent vers le triangle moite qui, déjà, palpitait pour lui. Denise retenait sa respiration, cramponnée à lui comme si elle risquait de tomber sans son appui.

— Ne me fais plus attendre, dit-elle, suppliante. Fais-moi l'amour, maintenant.

Ils tombèrent enlacés sur le sable, sans que Mike n'interrompe ses caresses entre les cuisses entrouvertes de sa compagne. Elle était si chaude, si réceptive ! Sous lui, il la sentait frissonner de plaisir, tandis qu'il cherchait dans les plis de sa féminité cette tendre perle, source de jouissance.

— Oh oui... C'est si bon ! chuchota-t-elle. Je n'aurais jamais cru que je ressentirais quelque chose d'aussi violent... d'aussi délicieusement violent.

Soulevant par à-coups ses hanches à la rencontre de Mike, elle s'abandonnait au rythme magique de ses doigts en elle. Il la vit basculer la tête et fermer les yeux un instant. Lorsqu'elle les rouvrit, une lueur d'extase allumait ses prunelles.

L'attente devenait insoutenable. Mike se débarrassa à son tour de ses derniers vêtements, mais juste avant de les jeter plus loin, il tendit la main pour fouiller dans la poche de son pantalon.

— Tu ne crois pas que c'est un peu tard ? dit Denise en riant, alors qu'il déchirait l'emballage de son préservatif. C'est la première fois qu'on aurait dû...

La suite de sa phrase fut balayée par la sensation fulgurante et magnifique de Mike glissant dans le fourreau de sa chair. Parcourue de spasmes voluptueux, la jeune femme se contracta autour de lui. C'était encore plus grandiose que la première fois. Un véritable feu d'artifice. Une explosion sauvage de lumières fusant en tous sens. Leurs corps se convulsaient. Leurs mains tâtonnaient, furetaient, s'exploraient. Leurs lèvres se cherchaient, s'unissaient avec frénésie, puis se reperdaient. C'était de l'ivresse à l'état pur.

Denise aurait voulu garder pour l'éternité le poids de ce corps viril allongé sur elle et ce sexe, doux et puissant à la fois, dont les assauts faisaient monter le plaisir à la manière d'une crue qui ravage tout sur son passage. Pour le moment, elle ne voulait pas penser à la réalité qu'il lui faudrait affronter le lendemain, à cet enfant qu'elle devrait peut-être accepter tout en sachant qu'elle et Mike n'avaient rien à partager, rien en commun et donc aucun avenir.

Des larmes lui montèrent aux yeux, qu'elle refoula aussitôt en chassant volontairement de son esprit les images de la vie triste et solitaire qui l'attendait.

La respiration de Denise était lente, régulière et profonde. Mike comprit qu'elle dormait encore. Il resserra les bras autour d'elle, et elle se lova contre lui en ronronnant. Il voulait profiter de ces derniers instants d'insouciance et de paix, savourer simplement, sans arrière-pensées, ce souffle tiède qui lui chatouillait le torse. Dans quelques heures, leur vie allait sûrement basculer et ces délicieux moments ne seraient plus qu'un rêve éphémère, plus qu'un beau souvenir...

Que laissait augurer ce jour naissant dont on apercevait, par la fenêtre, les premières lueurs couleur de vanille dans un ciel pâlissant ? Le temps passait, inexorable. Impossible de retarder l'échéance. Dans un moment, il saurait si oui ou non il allait être père.

Comment Denise, pour sa part, pouvait-elle avoir un sommeil aussi tranquille un jour pareil ? s'interrogea-t-il, lui caressant doucement les cheveux. Qu'il aimait sentir ce contact soyeux sous sa paume ! La présence de cette femme à son côté, dans le lit même de ses grands-parents, avait incontestablement quelque chose de symbolique. C'était comme si le destin les avait réunis pour faire d'eux les maillons d'une chaîne familiale indestructible. Mais en même temps, la conscience de la précarité de leur situation procurait à Mike un sentiment contraire, d'incertitude et de confusion. Du coup, il ne savait plus très bien où il en était.

110

Comme si elle pouvait lire dans ses pensées, Denise s'agita en murmurant dans son sommeil :

— Mike... Mike...

Il l'écarta légèrement pour lui poser la tête sur l'oreiller, mais elle revint aussitôt se blottir contre son torse, faisant d'un seul coup monter en lui une nouvelle bouffée de désir.

— Chut, tout va bien, la rassura-t-il à voix basse. Dors, chérie.

C'est alors que, d'une voix étouffée, sensuelle et traînante, la jeune femme susurra ces mots stupéfiants :

— Je t'aime, Mike.

Un coup de poing en pleine poitrine ne lui aurait pas fait plus d'effet. Il retint son souffle, pendant que sa compagne continuait de murmurer d'autres paroles inintelligibles. Mais qu'importe, il en avait déjà assez entendu !

Un tourbillon d'émotions s'emparèrent de lui. L'étonnement fit bientôt place à de la peur. Denise l'aimait !... Il aurait souhaité pouvoir prendre à la légère ces propos murmurés sous l'empire du sommeil, mais, il savait bien que les rêves, au contraire, trahissent les pensées les plus secrètes et les plus vraies de leur auteur.

Et lui, qu'éprouvait-il, tout au fond de lui ? Qu'était cette drôle d'émotion troublante qu'il n'avait jamais ressentie auparavant ? Etait-ce cela que l'on appelait de l'amour ?... Oh, mon Dieu, s'il s'était lui aussi laissé prendre au piège, il était dans de beaux draps ! Le seul fait de prononcer le mot « mariage » lui donnait la chair de poule. Et que dire alors de la paternité ? L'idée même lui paraissait inconcevable. Que le ciel ait pitié du pauvre enfant qui serait affublé d'un parent tel que lui. Les pères normaux — les autres ! — étaient capables d'éduquer, de soutenir, de guider leurs enfants. Qu'est-ce qu'il savait, lui, des associations de parents d'élèves ou des vaccinations obligatoires ? Rien. Absolument rien !

Plongé dans le doute, il resserra ses bras autour de Denise et, faute de mieux, parce qu'il n'avait vraiment rien de meilleur à lui offrir, il lui promit tout bas de faire de son mieux pour gérer la situation.

— Combien de temps encore ? demanda Mike pour la troisième fois en quelques instants.

Denise jeta un coup d'œil au minuteur posé sur le rebord du lavabo.

— Encore une minute.

— Tu es sûre d'avoir bien réglé ce machin ? Cela me paraît tellement long !

La jeune femme rassura son compagnon d'un hochement de tête. A vrai dire, elle comprenait son impatience. Mieux, elle la partageait. A elle aussi ces deux minutes écoulées avaient paru une éternité ! Encore un peu de patience et le verdict qui, telle une épée de Damoclès, pendait au-dessus de leur tête depuis dix jours, allait enfin tomber...

La tension devenait insupportable. Denise avait l'impression que les murs de la salle de bains de Mike se rapprochaient à mesure que les secondes s'égrenaient. Espérant qu'elle supporterait mieux son énervement si elle s'occupait les mains, elle froissa la notice d'instruction de son test de grossesse, la fourra dans la boîte vide et jeta le tout dans la corbeille. De fait, elle se sentit un peu soulagée de s'être activée, mais lorsque son regard glissa de nouveau sur Mike et qu'elle le vit en train de fixer le test comme s'il allait lui exploser à la figure, son angoisse repartit de plus belle.

112

Si seulement elle était chez elle, tout aurait été tellement plus facile ! soupira-t-elle intérieurement. Dans la solitude de son environnement familier, il lui semblait qu'elle aurait réussi à rester plus calme, à garder de la distance. Au moins aurait-elle pu, avant de retourner voir Mike, prendre le temps nécessaire pour s'habituer à la nouvelle qui, dans quelques instants, allait s'abattre comme un couperet. En vérité, elle avait prévu d'acheter elle-même ce maudit test, de le faire tranquillement chez elle et d'aller ensuite informer son compagnon du résultat. Seulement, la nuit précédente, quand ils avaient quitté la plage et regagné la maison, ils étaient tellement épuisés qu'ils n'avaient pas eu la force de faire un pas de plus. Ils avaient donc décidé de passer la nuit chez Mike, étaient allés se coucher et s'étaient aussitôt endormis dans les bras l'un de l'autre.

Au réveil, Denise avait découvert que Mike s'était levé avant elle. Un peu plus tard, il était revenu avec des croissants… et un test de grossesse ! A présent, il ne restait plus qu'à attendre le résultat fatidique.

De nouveau, la jeune femme regarda son compagnon à la dérobée. Son air à la fois tendu et recueilli lui laissa supposer qu'il devait être en train de prier silencieusement pour ne pas voir ce petit rectangle de papier virer au rose fatal. Bon sang, pourquoi, tout d'un coup, n'était-elle pas aussi sûre que lui de désirer un résultat négatif ? Quelle folie lui donnait à penser que ce ne serait peut-être pas si mal si le destin en décidait autrement ?…

Une sonnerie, qu'elle trouva horriblement stridente, coupa court à sa réflexion. Mike fit un pas en avant et plaça le minuteur sur « stop ».

— Un seul rectangle rose, négatif ; les deux, positif ; c'est ça ? récapitula-t-il inutilement… comme s'ils n'avaient

113

pas, ensemble, lu et relu la notice d'emploi au point de la connaître par cœur !

Incapable de prononcer une parole tant elle avait la gorge nouée, Denise acquiesça d'un signe de tête.

— Tu veux regarder ou tu préfères que ce soit moi ? lui demanda alors Mike.

— Vas-y.

Voilà, les dés étaient jetés. Denise ferma les yeux et attendit… Un long moment passa, bien trop long à son goût, avant que Mike ne reprenne la parole pour dire :

— Ça y est.

— Ça y est quoi ? s'enquit-elle, redoutant tout de même d'avoir déjà compris.

— Félicitations !

Que se passait-il soudain ? Etait-ce un tremblement de terre ? Le sol se dérobait-il sous ses pieds ou était-ce simplement elle qui avait le vertige ?…

— Oh, Seigneur ! Laisse-moi voir.

— Je sais encore faire la différence entre le rose et le blanc, protesta Mike.

Denise tendit tout de même la main pour saisir le petit boîtier. Elle devait vérifier le résultat de ses propres yeux et s'assurer que le rose était bien rose ! Son regard fébrile passa plusieurs fois du rectangle témoin au rectangle révélateur … Aucun doute, le second avait bel et bien pris la même teinte que le modèle.

Enceinte… Elle était enceinte !

— J'ai besoin de m'asseoir, murmura-t-elle d'une voix faible.

Elle sortit de la salle de bains, retraversa la petite entrée, regagna le salon et là, à bout de forces, se laissa choir sur les coussins rembourrés du canapé. A vrai dire, elle n'était pas surprise. Abasourdie, plutôt. D'une certaine façon, tout cela était tellement prévisible ! Pour la première et seule fois de sa vie, elle avait osé sortir des rails bien tracés de son petit univers habituel. Pour la première et seule fois de sa vie, elle avait agi sans réfléchir. N'était-il donc pas normal que tant d'audace se solde par un coup d'éclat… si on pouvait nommer ainsi la conception involontaire d'un bébé avec un homme qu'elle n'aurait jamais dû fréquenter ?

— Tu te sens bien ?

La voix grave de Mike lui fit lever les yeux. Il l'avait rejointe et se tenait campé devant elle, les bras croisés sur sa poitrine.

— Oui… je… je crois que oui, bredouilla Denise, portant la main à son front comme si ce seul geste suffisait à apaiser la tempête qui s'était soudain levée sous son crâne. Je suis juste un peu… déboussolée… mais, oui, je vais bien.

— Pas moi.

A ces mots, la jeune femme fut saisie d'un léger tremblement, qu'elle chassa en se raisonnant. Ici, rien d'étonnant non plus. Mike avait été plus qu'honnête la nuit où ils avaient conçu cet enfant. Il ne lui avait jamais caché qu'il n'avait aucune intention de devenir père et n'avait pas non plus essayé de la duper en lui jouant la scène du grand amour. Conclusion : elle n'avait pas à être déçue… Sauf que ces choses-là ne se raisonnaient guère à coup de déductions logiques !

Bien sûr, Mike lui aurait rendu service en ne se tenant pas figé devant elle, avec un air aussi angoissé que s'il faisait face à un peloton d'exécution. D'un autre côté, cela lui évitait au moins de se faire des illusions, songea-t-elle dans un ultime effort pour positiver.

A présent, ce qu'elle avait de mieux à faire, c'était de rentrer chez elle pour se soustraire au regard pénétrant de son compagnon et ainsi recouvrer son calme.

— Merci d'avoir été honnête, dit-elle en commençant à se lever.

Mike lui mit la main sur l'épaule et l'obligea à se rasseoir.

— Attends, tu ne m'as même pas laissé le temps de m'expliquer, protesta-t-il.

— Oh, inutile, tu as été assez clair.

— Nom d'un chien, écoute-moi une minute.

— A quoi bon ? Il me suffit de te regarder pour deviner ce que tu veux me dire.

— Et tu peux me dire ce que je pense puisque tu sais tout ?

— C'est évident, Mike. Tu es bouleversé par ce que tu viens d'apprendre et je le comprends. Mais, à l'inverse, tu devrais toi aussi comprendre que je n'ai pas envie de discuter. Maintenant j'ai besoin d'être seule pour réfléchir. Ramène-moi chez moi.

— Tu peux quand même attendre une minute, non ?

Bon, d'accord, elle voulait bien encore lui accorder une minute, pas plus. Juste le temps nécessaire pour lui de lui annoncer qu'il refusait d'assumer son rôle de père. Ce à quoi elle lui répondrait qu'il n'était pas non plus dans ses intentions de l'obliger à accepter des responsabilités qu'il n'avait pas envie de prendre. Puis c'en serait terminé.

Rassemblant son courage, elle se carra dans le canapé, croisa les mains autour de ses genoux serrés l'un contre l'autre, et donna le coup d'envoi de cette phase finale :

— Eh bien, je t'écoute.

Mike ne répondit pas immédiatement. D'abord, sans se presser, il rejeta ses cheveux en arrière, puis, cela fait, il prit encore tout son temps pour glisser les mains dans les poches arrière de son jean.

116

— Quand je t'ai répondu « pas moi », commença-t-il enfin, je ne voulais pas dire que je n'allais pas bien, mais simplement que, contrairement à toi, moi je n'étais pas déboussolé.

Pour le coup, elle, elle l'était encore plus !

— Tu pourrais être plus clair, Mike. Peux-tu me dire où tu veux en venir ?

— Il faut que nous prenions des décisions.

— Plus tard, quand je serai remise. Pour l'instant je ne suis pas capable de prendre quelque décision que ce soit. Je viens d'apprendre une nouvelle qui chamboule ma vie, laisse-moi au moins le temps de la digérer.

— Tu avais tout de même bien envisagé cette éventualité, non ? Ce n'est pas comme si les choses te tombaient dessus sans que tu t'y attendes.

Denise se laissa aller en arrière, la tête sur les coussins.

— Je savais que je pouvais être enceinte, mais je n'y croyais pas, admit-elle.

Maintenant que le résultat du test ne laissait plus de place au doute, elle allait devoir se mettre dans l'esprit qu'elle allait être mère, penser à tout ce que cela impliquait de changements, de bouleversements. Un bébé !... Elle !... Et pour compléter le tableau, elle avait créé ce petit être avec un homme qui n'avait rien, mais vraiment rien du père idéal.

Dieu du ciel ! En parlant de père...

Comment le sien allait-il prendre la nouvelle ? Et que dirait-il quand il rencontrerait Mike ?... S'il le rencontrait !

Son mal de tête s'était amplifié et le sang lui martelait douloureusement les tempes. Réalisant que plus elle tardait à partir, plus la situation s'aggravait, Denise se leva d'un bond. Hélas, en fait de soulagement, le mouvement trop brusque lui donna aussitôt le tournis. Elle se mit à chanceler sur place, avant de retomber lourdement sur le canapé.

Mike réagit immédiatement en s'agenouillant devant elle.

— Que se passe-t-il ? Tu ne te sens pas bien ?

— Si, ça va. J'ai juste la tête qui tourne.

C'était bien sa chance ! Elle qui détestait que les choses échappent à son contrôle ne parvenait même plus à maîtriser son propre corps.

— Encore ! Tu crois que c'est normal ?

— Qu'est-ce que j'en sais, moi ? s'énerva-t-elle d'une voix impatiente, je n'ai jamais été enceinte.

Tout devenait si réel et si affolant brusquement !

Son estomac se contractait violemment sous l'effet de la nausée. N'y tenant plus, elle mit la main devant sa bouche et sortit du salon en trombe.

Se précipitant derrière elle, Mike arriva juste au moment où elle vomissait dans les toilettes, mais elle était trop malade pour s'offusquer qu'il la voie dans cette position humiliante. Elle se laissa même faire docilement lorsqu'il lui essuya le visage avec une serviette qu'il avait passée sous l'eau froide, et ne protesta pas davantage quand il la prit dans ses bras pour l'emmener dans la chambre.

Il l'étendit doucement sur le lit et se mit à arpenter la pièce.

Un moment passa, puis il s'arrêta de marcher, mais Denise était encore trop mal en point pour s'en apercevoir. Dans le brouillard où elle se trouvait, elle entendit seulement une voix qui disait :

— Cette grossesse change plus de choses qu'on ne le croit.

Elle ouvrit péniblement un œil.

118

— Quelles choses ? demanda-t-elle. En dehors de ce qui est évident, je veux dire.

— Les choses entre nous.

Voilà donc où il voulait en venir, songea-t-elle. Il avait tout simplement tourné autour du pot pour lui annoncer, maintenant, que leur amitié était terminée. A dire vrai, elle savait depuis le début qu'ils en arriveraient fatalement là, un jour ou l'autre. Il n'était pas plus son genre qu'elle le sien. Cet individu trop décontracté, qui ne se plaisait qu'en tenue de motard, n'avait strictement rien de commun avec les jeunes hommes d'affaires ambitieux, toujours tirés à quatre épingles, qu'elle fréquentait habituellement. Le contraste était même si saisissant qu'il aurait prêté à rire si l'enjeu n'avait pas été aussi grave.

A quel moment était-elle tombée amoureuse ?... Pourquoi n'avait-elle pas mis un terme à cette aventure pendant qu'il en était encore temps ?... Autant de questions qui restaient sans réponse et pourtant, Denise était mieux placée que quiconque pour savoir ce qui pouvait arriver quand une femme s'éprenait d'un homme qui ne lui convenait pas. Sa mère avait aimé Richard Torrance passionnément, mais ce dernier, lui, n'avait jamais eu d'amour que pour son travail.

Son père était le type même de l'homme qu'il ne fallait pas épouser.

Sur ce point, Mike Ryan et Richard Torrance se rejoignaient. Les deux hommes étaient certes dissemblables par ailleurs, mais ils avaient en commun une haine viscérale du mariage. Si sa mère avait finalement réussi à convaincre Richard de l'épouser, Denise, elle, était bien décidée à ne pas refaire la même erreur avec Mike.

Elle se redressa sur un coude, marqua une courte pause, le temps de s'assurer que son estomac ne faisait plus des siennes, puis, se sentant mieux, elle s'obligea à regarder son amant dans les yeux et déclara calmement :

— Ne t'inquiète pas, Mike, je ne te demanderai rien. J'ai bien l'intention d'assumer seule cette situation.

Mike ravala sa colère. Pour qui le prenait-elle ? Un irresponsable ? Avait-elle une si piètre opinion de lui qu'elle préférait encore affronter, seule, une montagne de difficultés que de partager avec lui l'éducation de cet enfant ? Après tout, ils l'avaient bien fait à deux ce bébé !

Evidemment, à bien y réfléchir, elle avait aussi toutes les raisons de le croire incapable de gérer une telle situation. Ne lui avait-il pas clairement dit et répété que l'amour ne l'intéressait pas et que le mariage et la paternité étaient des pièges dans lesquels il ne tomberait jamais ?

Perplexe et indécis, il se passa la main dans les cheveux, puis se frotta énergiquement la nuque pour dénouer ses muscles tendus. Que faire ?... La réponse à cette question s'imposa à lui de façon la plus inattendue, comme par miracle, lorsque, plongeant dans le regard bleu de Denise, il mesura son désarroi. En une fraction de seconde, sa décision fut prise.

— Il n'y a aucune raison que tu te charges seule de cet enfant.

— Mike...

— Epouse-moi.

La jeune femme se redressa d'un bond pour s'asseoir sur le lit.

— Quoi ? Qu'est-ce que tu as dit ?

Il ne s'agissait plus de flancher ! Mike prit une profonde inspiration, s'éclaircit la gorge, puis répéta posément, avec le plus de maîtrise possible :

— Epouse-moi, Denise.

Celle-ci le dévisagea d'un air interdit.

120

— As-tu complètement perdu la tête ?

— Pas du tout. J'essaie au contraire de trouver une solution pour nous en sortir.

— Plutôt que de nous en sortir, c'est le meilleur moyen de nous mettre dans les ennuis, corrigea Denise avec un hochement de tête désapprobateur.

— Non, ça peut marcher si nous le voulons vraiment, affirma Mike, s'asseyant au pied du lit et soutenant fermement le regard de sa compagne. Nous nous entendons bien et nous ne sommes plus des gamins. Avoue tout de même qu'il est préférable qu'un enfant soit élevé par ses deux parents.

— Sous réserve que ceux-ci soient d'accord pour vivre ensemble.

— J'admets ne jamais avoir pensé à me marier, mais c'est que, jusqu'à présent, je n'avais eu aucune raison de le faire.

— Tu n'en as pas davantage maintenant, objecta Denise.

— Si. Nous allons avoir un enfant.

— Au vingt et unième siècle, il y a mille autres façons de résoudre ce problème.

— Un problème ! s'exclama Mike. Un bébé... mon bébé n'est pas « un problème ».

L'air pensif, Denise resta silencieuse un moment, puis, comme si elle venait de prendre une décision, bondit sur ses pieds tout d'un coup.

— Ce n'est pas seulement ton bébé, c'est aussi le mien, Mike, affirma-t-elle avec une véhémence surprenante. Il est hors de question que tu m'imposes tes vues sous prétexte que tu as décidé de jouer les héros. Ne te prends pas pour mon sauveur. Je n'ai besoin de personne pour venir à ma rescousse, je suis assez grande pour me débrouiller seule.

Sur cette déclaration énoncée d'un trait, elle tourna les talons et s'éloigna.

Bondissant à son tour, Mike la rattrapa par le bras avant qu'elle n'ait quitté la chambre et, d'un geste vif, l'obligea à se retourner pour lui faire face.

— Tu ne m'évinceras pas aussi facilement. Je suis le père de ce bébé et j'ai aussi mon mot à dire. Par égard pour lui...

— Justement, coupa Denise, cet enfant mérite un peu plus de considération que tu ne lui en accordes. On est au courant de son existence depuis seulement un quart d'heure, on ne peut pas régler son sort comme ça, en quelques secondes. Il faut prendre le temps de réfléchir.

— Il arrive un moment où la réflexion n'est plus de mise, où il faut agir comme on le sent. Quelquefois, il faut se laisser aller à son instinct, Denise. Tu es trop raisonnable, tu réfléchis trop.

— C'est précisément notre instinct qui nous a conduits là où nous en sommes. Si on avait pris le temps de réfléchir un peu plus, il y a deux semaines, nous n'aurions pas cette conversation en ce moment.

Elle avait raison, songea Mike. Ils avaient agi sur un coup de folie et pourtant, paradoxalement, il n'en éprouvait pas le moindre regret. Il ne regrettait ni leur nuit d'amour, ni même — et c'était bien cela le plus étonnant — cette grossesse surprise.

Bien sûr, si elle n'avait pas été enceinte, il ne lui aurait jamais proposé de l'épouser, mais ce bébé changeait la donne, bouleversait toutes les règles du jeu. Ce qui, entre eux, ne devait être qu'une partie de plaisir revêtait maintenant un caractère beaucoup plus grave. Peut-être qu'en effet, ils devaient se donner un peu de temps pour réfléchir...

— D'accord, dit-il, relâchant la jeune femme. Rentre chez toi et réfléchis. Je ferai de même de mon côté.

— Très bien.

— Je te retrouverai ce soir et on en rediscutera.

— Ce soir ?

— Oui, on prendra alors une décision.

Sans quitter Mike des yeux, Denise fit encore quelques pas en direction de la porte.

— Non, pas ce soir, dit-elle, c'est trop tôt. J'ai besoin d'être seule quelques jours. Je t'appellerai, d'accord ?

— Tu n'as pas l'intention de... de faire quelque chose sans me le dire ? demanda Mike, pensant soudain au pire.

L'espace d'une seconde, elle sembla ne pas comprendre ce qu'il sous-entendait, puis son visage s'éclaira et elle secoua négativement la tête.

— Non, non, je te le promets. Je ne ferai rien sans t'en avoir averti au préalable. Je t'informerai de ma décision dès que je l'aurai prise.

— Ta décision ?

— D'accord, c'est aussi ton bébé, Mike, mais c'est moi qui le porte. C'est donc à moi qu'appartient la décision finale.

9.

Cinq jours plus tard, Denise n'avait toujours pas réussi à prendre de décision, bien que Mike l'ait laissée réfléchir en paix comme elle le lui avait demandé. C'était risqué, car sans doute avait-il lui aussi eu tout le temps de réaliser combien sa proposition de mariage était insensée. Voilà que maintenant elle regrettait presque de n'avoir pas accepté de l'épouser sur-le-champ, au moment où il lui avait posé la question. Jamais elle n'aurait cru qu'il lui manquerait autant…

— Denise ?

Elle leva les yeux pour apercevoir son père qui venait d'entrer dans son bureau, le visage marbré par la colère, une liasse de documents dans sa main crispée.

— Que se passe-t-il ?

— Que se passe-t-il ! répéta l'homme d'une voix peu amène. Oh, trois fois rien, juste que j'ai failli avoir une crise cardiaque par ta faute.

— De quoi parles-tu ? Qu'ai-je donc fait ?

Richard Torrance brandit à bout de bras les documents qu'il tenait et les agita sous le nez de sa fille.

— Ces chiffres, Denise, ces chiffres ! A en croire tes calculs, l'entreprise Steenberg a perdu plusieurs centaines de milliers de dollars le mois dernier.

— Je ne compr…

— Tu t'es tout simplement trompée de colonne. Même de la part d'une débutante, une erreur aussi grossière serait impardonnable. Si je ne m'en étais pas aperçu à temps, on perdait l'un de nos plus gros clients.

L'accusée s'enfonça sur son fauteuil et, s'appuyant sur les accoudoirs vernis, enfouit son visage entre ses mains un bref instant. Rien n'allait plus. Si même les chiffres se mettaient maintenant à lui jouer des tours, c'était la fin du monde. Son dernier rempart s'écroulait !

— Je suis désolée, murmura-t-elle.

Richard Torrance posa ses papiers sur le bureau et, les mains à plat sur le sous-main de cuir fauve, se pencha vers sa fille d'un air sévère.

— Cela fait une semaine que tu n'es pas dans ton état normal. Qu'est-ce qui ne va pas, petite ?

— Je ne suis plus une petite, rétorqua Denise, s'étonnant de trouver subitement la force de résister à son père.

— Pourtant, tu te conduis vraiment comme une enfant, en ce moment. Tu annules des rendez-vous… Tu arrives en retard…. Tu pars en avance…. Si tu n'étais pas ma fille, je t'aurais déjà licenciée, crois-moi.

C'en était trop. La jeune femme se leva d'un bond, attendit que passe le vertige — un vertige qui, hélas, devenait bien trop familier ces temps-ci —, puis défia son père du regard.

Si ce dernier s'était un peu plus soucié d'elle, de son bonheur, s'il s'était plus intéressé à l'épanouissement de sa personnalité qu'à ses performances d'employée, elle aurait déjà pu lui parler, se confier à lui, solliciter son réconfort et ses conseils. Au lieu de cela, en un moment où elle aurait plus que jamais eu besoin de lui, il était encore plus distant. En était-il conscient ? Ce n'était même pas sûr ! En tout cas, Denise, pour sa part, en avait assez de supporter cette situation.

Trop lasse, trop découragée pour s'inquiéter encore de dire ce qu'il convenait, trop épuisée pour chercher encore à plaire à son père, elle répliqua simplement d'une voix blanche :

— Eh bien, si tu veux me licencier, licencie-moi.

Sous le coup de la surprise, Richard Torrance fit un bond en arrière. La jeune femme sortit son sac du tiroir de son bureau, en tira un tube de comprimés contre les crampes d'estomac et plaça deux pastilles dans le creux de sa main. Mais au moment de les avaler, elle hésita. Ces médicaments n'étaient-ils pas nocifs pour le bébé ? Elle n'en avait aucune idée. Pas étonnant : en ce moment, elle ne savait plus rien, ne comprenait plus rien à rien. Par mesure de prudence, elle préféra s'abstenir et remit le tube à sa place en se disant que, au stade où elle en était, elle n'était de toute façon plus à quelques aigreurs d'estomac près !

— Te licencier... Que veux-tu dire ? demanda son père du même ton sévère. Es-tu devenue folle ? Qu'est-ce que tu as ?

« Je suis enceinte », faillit dire Denise, avant de se ressaisir. S'il était bien une chose dont elle n'avait pas besoin en ce moment, c'était des commentaires de son père sur le sujet !

— Je veux dire que si tu es mécontent de mon travail, tu peux me mettre à la porte comme n'importe quel autre employé, se contenta-t-elle donc de répondre prudemment. Je n'aurai aucun mal à retrouver un poste. N'importe quel cabinet comptable de la ville serait très heureux de me recruter.

— Je n'ai jamais dit que...

126

— Si, tu l'as dit. Et je vais à mon tour t'avouer quelque chose : je m'en fiche.

En même temps qu'elle prononçait ces paroles, Denise réalisa à quel point, jusqu'à présent, elle s'était censurée dans le seul but de correspondre à l'image que son père se faisait d'elle.

Elle se leva, contourna son bureau et, ignorant Richard Torrance planté au milieu de la pièce, se dirigea vers la porte. Sur le seuil, elle se retourna, vit l'homme entrouvrir les lèvres, mais comme aucun son ne sortait de sa gorge, elle en profita pour ajouter :

— Je serai probablement encore en retard demain. Je ne me sens pas très bien, en ce moment. Si tu décides de me renvoyer, laisse un mot sur mon bureau. Je le trouverai en arrivant, je rangerai mes affaires et la place sera nette au plus tard demain après-midi.

Puis elle sortit sans perdre une seconde. Elle passa en courant devant le pool des secrétaires, qui levèrent toutes la tête en même temps. Arrivée devant les ascenseurs, elle pressa le bouton et tâcha de dominer sa nausée en attendant l'arrivée de la cabine. Au bout de quelques instants, un petit *jingle* retentit et les portes s'ouvrirent lentement.

Juste avant d'entrer dans l'ascenseur, elle avisa son père qui fonçait dans le couloir. Elle l'entendit qui l'appelait, mais comme si de rien n'était, elle laissa les portes se refermer derrière elle.

— C'est encore cette comptable, n'est-ce pas ? demanda Bob Dolan à Mike qui tournait dans l'atelier comme un fauve.

Les deux autres mécaniciens étaient partis déjeuner avant l'heure réglementaire. En d'autres circonstances, Bob, en tant que chef d'atelier, les aurait empêchés de prendre de telles libertés, mais compte tenu de ce que Mike leur faisait endurer depuis quelque temps, il avait jugé bon de ne rien dire pour ne pas empoisonner un air déjà irrespirable. Leur patron, d'ordinaire si facile à vivre, était devenu en l'espace de quelques semaines l'homme le plus irascible de la terre. La situation s'était même considérablement aggravée ces derniers jours.

Parcourant l'atelier à grandes enjambées, Mike décocha à son ami un regard glacial.

— Je t'en prie, ne te mêle pas de ça, Bob.

— J'aimerais bien, mais tu me rends la vie impossible. Comment veux-tu que j'exige que les gars travaillent correctement dans les conditions que tu leur infliges ? Sais-tu que les mécaniciens parlent de démissionner ?

Mike savait bien qu'il rendait tout le monde malheureux autour de lui, mais il était vraiment trop énervé pour s'en inquiéter et bien trop préoccupé par ses propres problèmes pour s'intéresser à ceux d'autrui... En fût-il le responsable !

— Eh bien, s'ils en ont envie, qu'ils s'en aillent, dit-il sèchement. Je ne retiens personne.

— Même Tina, qui est pourtant d'une patience d'ange, en a assez, renchérit Bob.

— Si elle a réussi à vivre avec toi pendant vingt et quelques années, elle doit bien être aussi capable de me supporter.

— C'est que j'ai des attraits que tu n'as pas ! plaisanta Bob.

Cette fois, Mike ne put s'empêcher de rire en dépit de sa mauvaise humeur.

— Suis-je réellement si impossible ? soupira-t-il en se radoucissant.

128

— Dis-moi, c'est bien pour la comptable que tu te mets dans des états pareils ?

— Denise.

— D'accord, Denise. C'est bien à cause d'elle, hein ?

— Elle est enceinte.

Bob parut d'abord choqué, puis un sourire se dessina sur ses lèvres.

— C'est super, Mike, tu ne trouves pas ?

— Je ne sais pas, avoua l'intéressé.

Non seulement, il ne savait réellement plus que penser, mais il avait l'impression d'en vouloir à tout le monde. A lui. A Denise. Au destin. A la terre entière. La jeune femme lui avait demandé de ne pas la recontacter et il s'était exécuté. En cinq jours, elle avait largement eu le temps de réfléchir, qu'attendait-elle à présent pour lui faire part de sa décision ? Imaginait-elle qu'elle pouvait le faire patienter indéfiniment ? Croyait-elle que ce bébé n'était qu'à elle ?...

Depuis des nuits, Mike ne dormait plus. Il passait des heures, allongé sur son lit, les yeux grands ouverts sur l'obscurité. Le souvenir de Denise était encore si vif qu'il lui semblait sentir sa présence, mais, lorsque le jour se levait et qu'il apercevait le téléphone silencieux sur la table de chevet, sa solitude se faisait encore plus cruelle. Comment Denise ne comprenait-elle pas que ce n'était pas en ignorant le problème qu'elle allait le résoudre ?

— Elle refuse de me voir, Bob. Elle prétend avoir besoin de réfléchir, mais, bon sang, combien de temps va-t-il lui falloir ?

— Et toi, tu as déjà réfléchi ? A quelle conclusion as-tu abouti ?

Mike ricana. Epuisé comme il l'était, il était incapable d'enchaîner deux idées cohérentes. Difficile de réfléchir efficacement dans ces conditions !

— J'ai essayé, dit-il, mais, de toute façon, ma décision était déjà prise.

— Laquelle ?

— J'ai demandé Denise en mariage...

Bob accueillit la nouvelle avec un long sifflement étonné.

— ... et elle a refusé, poursuivit Mike, ravalant le sentiment d'humiliation que lui causait cet aveu, même destiné à un ami. Franchement, je ne vois pas ce qui te fait rire, il n'y a rien de drôle à cela.

— Excuse-moi, mon vieux, mais je me souviens d'un marine, en plein désert, qui jurait ses grands dieux qu'il ne se marierait jamais.

Mike hocha la tête en souriant à son tour.

— Je m'en souviens aussi, mais ce type-là ne connaissait pas encore Denise Torrance et il n'allait pas non plus avoir un enfant.

— Donc, tu lui as avoué que tu l'aimais ?

Qu'est-ce que Bob racontait là ?... Qui avait parlé d'amour ?... Il n'avait jamais été question de cela quand ils avaient conçu cet enfant, mais seulement de désir. Du désir à l'état brut !

— Je ne t'ai jamais dit que je l'aimais, corrigea Mike.

— Alors, tu ne l'aimes pas ?

Instantanément, une foule d'images se bousculèrent dans l'esprit de Mike. Denise était là, encore tellement présente en lui qu'il lui suffisait de fermer les yeux pour sentir la fragrance de son parfum, la douceur de sa main dans la sienne, ou la chaleur de son corps et le contact de ses cuisses comme lorsqu'elle se cramponnait à lui, assise sur le siège arrière de la Harley. Il la revoyait chez lui, juste avant qu'il ne l'emmène pique-niquer sur la plage, aussi clairement que si elle se tenait devant lui. Elle semblait si heureuse, alors ! Il gardait encore ancrés en lui le doux chuchotement de ses soupirs et le goût sucré de ses lèvres.

Ce flot de souvenirs accéléra sa respiration. Mon Dieu, ces émotions étranges étaient-elles de l'amour ?...

— Je n'ai pas dit non plus que je ne l'aimais pas, dit-il, de plus en plus décontenancé.

Bob fronça les sourcils.

— Nom d'un chien, Mike, il faudrait savoir ! Tu ne peux pas dire que tu l'aimes, mais tu ne peux pas dire non plus que tu ne l'aimes pas, alors qu'est-ce que tu ressens ?

Parce qu'il ne savait pas vraiment quoi dire, Mike ne répondit pas tout de suite. Comment traduire en mots — des mots supportables — cette confusion qui l'animait ? « Je l'aime » était carrément imprononçable et « Je ne l'aime pas » était faux. Il choisit donc de s'en tirer par une pirouette.

— Je la désire et je veux qu'elle me laisse élever mon enfant. Ça ne te semble pas des raisons suffisantes ?

— Ce n'est pas à moi qu'il faut demander ça, répondit Bob.

Agacé, Mike se défoula en donnant un coup de pied dans un tas de pneus qui chancela mais ne s'effondra pas.

— A qui d'autre veux-tu que je demande ? Si tu écoutais quand je te parle, Bob ! Je t'ai déjà dit qu'elle refusait de me voir.

— Depuis quand tu te laisses rebuter pour si peu ?

— Il est vrai que ça ne me ressemble pas, finit par admettre Mike.

Il dénoua sa queue-de-cheval et ébouriffa d'une main ses cheveux libres tout en réfléchissant. D'habitude, quand il désirait vraiment quelque chose, il ne prenait pas autant de gants. Il allait jusqu'au bout et ne consentait à s'avouer vaincu qu'après avoir épuisé toutes ses cartouches. En l'occurrence, il aurait dû forcer la porte de Denise et l'obliger à écouter ce qu'il avait à lui dire.

— Je n'ai jamais pensé que tu étais stupide… avant aujourd'hui, reprit Bob en riant sous cape.

— Ça suffit, grogna Mike. Occupe-toi de tes affaires.

— Ah non, pas cette fois. Je ne te laisserai pas faire une bêtise. Je sais bien qu'il y a quelques années, tu as décidé de ne jamais être amoureux, mais…

— Laisse tomber, je t'ai dit.

— On ne peut pas se fixer des règles comme ça, une fois pour toutes, poursuivit Bob, ignorant les protestations de son ami. La vie réserve des surprises. Cette femme a réussi à transpercer le solide bouclier que tu brandissais pour te protéger et, cela, tu ne l'avais pas prévu.

Mike pouvait bien encore essayer de nier, se rebeller, discutailler sans fin, mais à quoi bon ? Que cela lui plaise ou non, il savait bien que Bob avait raison. Denise avait subrepticement sapé ses défenses. Sans qu'il s'en aperçoive, elle avait pris de plus en plus d'importance, jusqu'à toucher ce point sensible et vulnérable, tout au fond de lui, qu'il ignorait même posséder.

— Comment vais-je bien pouvoir lui expliquer tout cela ? murmura-t-il, se parlant à lui-même.

— Un ex-marine, se poser une question pareille ! pouffa Bob, qui s'était remis au travail. En amour comme à la guerre, mon vieux ! Vas-y, fonce, tu t'interrogeras après.

Oui, il avait assez attendu. Il avait déjà fait preuve d'une immense patience en accordant à Denise cinq longs jours pour réfléchir. A présent, c'était lui qui allait dicter ses conditions, et l'enjeu de cette bataille était trop grand pour qu'il n'y mette pas toutes ses forces.

Bon sang, ce serait peut-être la dernière guerre de sa vie, mais celle-là, il ne la perdrait pas !

Assise par terre, au milieu de son salon, entourée de piles de livres, Denise s'empara du premier volume qui lui tombait sous la main et lut à voix haute : « Tout ce que vous voulez savoir sur Bébé, de sa conception à sa naissance. »

Si elle avait pu imaginer qu'elle s'intéresserait un jour à ce genre de littérature ! ricana-t-elle. Qui aurait pu croire que Denise Torrance écumerait les librairies de la ville pour y acquérir tous les livres disponibles sur le thème de la grossesse ? Il y en avait tant que, de retour chez elle, elle avait dû faire trois voyages pour transporter ses acquisitions jusqu'à son appartement !

Saisissant quelques livres au hasard, elle les feuilleta tour à tour. « Ce que chaque future mère devrait savoir », « ABC de la grossesse », « Apprenez à communiquer avec votre bébé »… Puis, prenant d'une main son verre de lait posé sur la table et de l'autre, caressant son ventre plat, elle chuchota :

— Tu as vu ce que je bois exprès pour toi, bout de chou ? J'espère que tu apprécies !

Elle porta le verre à ses lèvres et avala une grande gorgée de lait froid. Paradoxalement, depuis qu'elle s'était disputée avec son père, elle se sentait mieux. Non que tous ses problèmes fussent résolus, loin de là — elle ne savait toujours pas comment elle allait bien pouvoir gérer les sentiments qu'elle éprouvait pour Mike —, mais cette altercation, bizarrement, l'avait rendue plus forte. Du même coup, elle avait maintenant réussi à accepter l'essentiel…

133

Elle allait avoir un enfant. Et qu'importait que seul le hasard eût présidé à sa conception. Cette vie était un cadeau du ciel et elle se devait de la respecter. Elle n'avait pas le droit de la détruire comme elle aurait effacé une erreur d'un simple coup de gomme. Abandonner ce bébé à des parents adoptifs n'était pas davantage imaginable. En outre, elle allait bientôt avoir trente ans et l'horloge biologique — une expression qu'elle détestait — avait déjà commencé son irrémédiable course contre le temps. Financièrement parlant, elle n'avait pas non plus de problèmes pour assumer seule la charge d'un enfant puisqu'elle avait un travail qui lui permettait de gagner confortablement sa vie.

Cette dernière pensée fit naître un petit sourire sur ses lèvres. Dire que pour la première fois de sa vie, elle avait eu l'audace de tenir tête à Richard Torrance !…

— Et tu sais quoi ? poursuivit-elle à voix basse, continuant de s'adresser au bébé. Il ne s'est rien passé d'affreux ! La terre ne s'est pas ouverte sous mes pieds pour m'engloutir, elle ne s'est pas non plus arrêtée de tourner. Quant à mon père, il ne m'a ni déshéritée ni même jetée dehors.

Incroyable !

Bien sûr, corrigea la jeune femme pour elle-même, rien ne disait qu'elle n'apprendrait pas son licenciement en arrivant au bureau le lendemain.

— Mais ne t'inquiète pas, ajouta-t-elle entre deux gorgées de lait, on se débrouillera de toute façon.

Un vrombissement de moteur venant de la rue interrompit son monologue. Elle se leva pour aller regarder par la fenêtre, sachant déjà ce qu'elle allait découvrir. Elle connaissait trop bien ce bruit pour ne pas l'avoir reconnu.

— Papa est là, mon petit chou, murmura-t-elle.

Une seconde plus tard, elle était dans l'entrée, la main sur la poignée de la porte. Juste au moment d'ouvrir, elle eut cependant un temps d'hésitation. Etait-elle prête à parler à Mike ?… Allait-elle avoir le cran de lui avouer qu'elle avait décidé d'élever leur enfant seule ?… Et pourquoi pas ? se dit-elle pour se donner du courage. Après tout, elle avait bien survécu à une querelle avec son père. Etait-ce beaucoup plus difficile d'affronter Mike Ryan ?

— Ouvre-moi, tonna une voix grave, de l'autre côté de la porte. Je sais que tu es là. Je suis allé à ton bureau et ta secrétaire me l'a dit.

Il était allé à son bureau !… Denise imaginait le tableau. L'arrivée de ce motard en colère avait dû faire quelques vagues dans l'atmosphère feutrée de Torrance Accounting !

— Ouvre tout de suite ou j'enfonce ta porte, insista Mike. Il faut absolument que je te voie.

Le ton ne prêtait pas à la discussion, aussi la jeune femme ne s'accorda-t-elle que quelques secondes — même pas le temps de calmer les battements désordonnés de son cœur ! — avant d'appuyer sur la poignée.

— Bonjour, Mike, dit-elle, feignant d'être à l'aise.

Son visiteur n'attendit pas d'être invité pour pénétrer dans l'appartement. Il referma la porte derrière lui et, face à Denise, attaqua droit au but :

— Quand comptais-tu m'appeler ? Ça fait déjà cinq jours.

— Je sais, mais j'avais besoin de temps, répondit-elle, lui tournant le dos pour regagner le salon.

Ce salon où ils s'étaient unis avec une fougue telle qu'ils avaient conçu un enfant… Voulant de toute évidence lui rappeler cet événement, Mike s'arrêta au milieu de la pièce, le regard ostensiblement dirigé sur le tapis, à l'endroit exact où ils avaient fait l'amour. Denise se sentit rougir. S'il voulait la troubler, c'était réussi !

— Qu'est devenu notre accord d'origine ? s'enquit-il doucement.

— Quel accord ?

— Se consulter pour prendre des décisions. Se conduire comme des amis.

Ah oui, elle s'en souvenait ! Mais les choses avaient changé. Ils n'étaient plus désormais ni amants ni amis. Que leur restait-il donc en commun ? Le seul fait d'être parents ?

— Ma décision est déjà prise, lança-t-elle comme on se jette à l'eau.

Croisant les bras, Mike se campa sur ses pieds.

— Vraiment ? J'aimerais bien la connaître.

— Je garde le bébé.

Une demi-seconde, Denise crut voir du soulagement passer sur les traits de Mike, mais le temps qu'elle s'interroge, cette impression avait déjà disparu.

— Très bien, commenta-t-il brièvement.

— Dois-je comprendre que tu m'approuves ?

— Bien sûr que oui ! C'est de mon enfant que tu parles, pas de n'importe qui.

Un frisson parcourut la jeune femme. Quoi que Mike ressente à son égard, il était d'évidence très concerné par le bébé. Irait-il, pour lui, jusqu'à se battre contre elle ?...

Apercevant soudain les livres restés par terre, il s'en approcha, se baissa et en ramassa un.

— « Etre un parent isolé »... Que fais-tu avec cela ? demanda-t-il d'un ton tranchant comme une lame de couteau.

— Il faut que je commence à me documenter.

— Te documenter pour élever seule notre enfant commun ?

— Mike...

136

— Non, Denise, c'est à mon tour de parler et tu vas m'écouter. Je ne te laisserai pas me quitter comme ça, comme si rien ne s'était passé entre nous.

— Allons, tu sais bien que le mariage ne résoudra rien.

— Qu'est-ce qui te permet de dire cela ? Est-ce si horrible d'envisager de m'épouser ?

Elle le rejoignit sur le canapé où il s'était installé, mais à peine s'était-elle assise qu'elle se releva. Elle ne pouvait plus penser, plus réfléchir normalement quand il était trop près d'elle. Or, en ce moment plus que jamais, elle avait besoin de garder la tête froide.

S'efforçant de parler posément, elle commença.

— Ecoute, Mike, nous n'avons rien en commun. D'ailleurs, tu l'as dit toi-même la première nuit. Tu as aussi précisé que tu ne voulais pas t'engager dans une relation sérieuse.

— Oublie ce que j'ai dit.

— Mais non, tu avais raison. Tes propos avaient beaucoup plus de sens que ceux que tu me tiens à présent.

— La situation n'est plus la même, Denise.

— Tu dis ça à cause du bébé ?

— Evidemment !

— Ce n'est pas parce qu'on a fait un enfant que l'on doit se marier, Mike. Je dirais même que c'est un bien mauvais prétexte.

— En règle générale, c'est aussi ce que je pense, mais pas dans le cas présent.

— Et pourquoi cela ?

Ne voyait-il pas à quel point il lui compliquait la vie ? s'interrogea la jeune femme en silence. Ce n'était déjà pas si facile pour elle. Ne pouvait-il donc pas s'en aller et la laisser choisir sa vie ?

— Parce que je tiens à toi, bon sang !

Leurs regards se rencontrèrent un long moment.

— A moi ou au bébé ? demanda-t-elle.

Il fit un pas vers elle, mais elle recula pour rester hors de sa portée.

— A tous les deux. Nom d'un chien, pourquoi ne me crois-tu pas ?

— Parce que, avant la nouvelle de ma grossesse, il n'avait jamais été question entre nous de promesses éternelles. Si ma mémoire est bonne, tu avais dit que nous devions nous conduire comme « deux adultes simplement désireux de partager des instants de plaisir intense ».

— Et c'était faux ? Notre plaisir n'a-t-il pas toujours été intense ?

— Si, mais… ça ne suffit pas.

— Denise, je sais que tu m'aimes.

— Je ne t'ai jamais dit ça, que je sache ! s'exclama-t-elle en faisant tous ses efforts pour refouler les larmes qui lui piquaient les yeux.

— Si, tu l'as dit. Dans ton sommeil. La nuit précédant ton test de grossesse.

Elle s'empressa d'essuyer la larme qui perlait au coin de son œil.

— Ça n'a aucun sens, protesta-t-elle encore, on bafouille n'importe quoi quand on dort.

— Dans ce cas, dit alors Mike, maintenant que tu es en possession de tous tes moyens, affirme-moi haut et fort que tu ne m'aimes pas.

138

10.

Mike retint son souffle. Il avait mis Denise au défi comme on lance une bouteille à la mer, il avait joué son va-tout faute de meilleure carte, mais que ferait-il si elle lui déclarait en face que, non, elle ne l'aimait pas ?...

La réponse tomba au bout de quelques longs et pénibles instants.

— Je t'aime.

Ces mots, même prononcés d'une voix fragile, suscitèrent en lui une vague d'émotions où se mêlaient confusément soulagement et plaisir. Hélas, ces sentiments volèrent en éclats aussitôt après, lorsque la jeune femme ajouta :

— Mais ce que je ressens n'a aucune importance. Cela ne change rien.

— Au contraire, le seul fait de reconnaître que tu m'aimes change tout, protesta-t-il avec la force du désespoir.

Elle eut un petit rire sec qui lui donna la chair de poule. Il tenta alors de s'approcher d'elle, mais elle avança la main pour lui faire signe de rester où il était.

— Tu te trompes, Mike. Les sentiments et la réalité font rarement bon ménage.

— Que veux-tu dire ?

— Je ne referai pas la même erreur que ma mère. Je n'épouserai pas un homme qui ne me convient pas.

Denise s'interrompit et se mit à faire les cent pas comme si elle avait besoin de se libérer d'une tension intérieure trop difficile à contenir. Mike aurait voulu la prendre dans ses bras, mais il sentait intuitivement qu'il devait d'abord la laisser s'exprimer. C'était peut-être la première fois qu'elle avait l'occasion d'extérioriser ses peurs.

De fait, elle recommença à parler peu après, sans qu'il n'ait eu à la questionner.

— Mes parents... Ils ont été malheureux ensemble... Ma mère, pourtant, était folle amoureuse de mon père, mais cela n'a pas suffi à les rendre heureux. En fait, mon père n'aurait jamais dû se marier, il n'était pas fait pour cela. Il y a des hommes qui ne sont pas destinés à fonder une famille... Dont tu fais partie, toi aussi.

— Hé, attends une minute, s'emporta Mike.

Il voulait bien payer pour ses propres erreurs, mais être condamné d'avance parce que Richard Torrance s'était comporté comme un imbécile, ça non !

— Ne reviens pas là-dessus. Tu as dit dès le début qu'il ne serait pas question d'amour entre nous et que, de toute façon, tu ne te marierais jamais.

— J'ai eu tort.

— Non, tu étais honnête. C'est maintenant que tu ne l'es plus.

La rage envahit Mike. Quel idiot avait-il été ! S'il avait pu imaginer que ses propres paroles lui reviendraient en pleine figure comme un boomerang, il se serait abstenu de les prononcer ! Maintenant c'était trop tard, ce qui était dit était dit. Tout ce qu'il pouvait faire désormais, c'était tenter de s'expliquer... sous réserve que Denise veuille bien l'écouter.

D'accord, si elle n'avait pas été enceinte, il ne l'aurait jamais demandée en mariage. Mais, justement, cette grossesse changeait tout. Il allait être père, ce n'était pas rien tout de même ! Et puis, zut, tout le monde avait bien le droit de se tromper et de changer d'avis au moins une fois dans sa vie, non ?

— Tu m'accuses sans fondement. Rien ne te permet d'affirmer que je ne suis pas honnête, se défendit-il.

— Me parler d'amour et de mariage simplement parce que tu veux que ton enfant ait un père à la maison, tu m'excuseras mais, je ne trouve pas cela très honnête.

En voyant les traits tendus de sa compagne, son air crispé et ses yeux brillants, Mike comprit qu'elle n'était encore pas près de se rendre. Mais lui non plus n'était pas de ceux qui battent en retraite avant la fin, alors… !

— Bon, admettons que ce que tu dis soit vrai. Admettons que pour l'instant je ne te propose de devenir ma femme que parce que tu portes mon enfant. Qui te dit que je ne t'aurais pas fait la même proposition un peu plus tard, pour d'autres raisons ?

— Ça ne tient pas debout. C'est bien ce que je disais, tu n'es pas honnête.

Honnête… Honnête… Elle n'avait que ce mot-là à la bouche ! Bon, puisqu'elle voulait tout savoir, elle allait tout savoir. Pour elle, il allait extirper du fond de sa mémoire des événements enfouis depuis près de dix ans.

— Honnête ? Tu veux que je sois honnête ? Je vais tout te dire… Quand la première guerre du Golfe a commencé, j'étais encore dans l'armée. Et c'est là, dans le désert, en observant mes camarades, que j'ai compris les ravages que pouvait causer l'amour. J'en ai vu assez pour être convaincu que l'amour n'est qu'un sentiment destructeur, qui débouche inéluctablement sur la souffrance.

Les souvenirs qu'il avait occultés lui revenaient à présent comme des vagues contre lesquelles la volonté ne pouvait rien.

— J'ai vu mes copains partir au combat pleins d'ardeur, risquer leur vie chaque jour, se lever le matin sans savoir s'ils auraient la chance de se coucher le soir. Et en même temps, j'ai vu ces mêmes types courageux attendre l'arrivée du courrier comme des gamins, suspendus aux nouvelles de leur bien-aimée tels des naufragés accrochés à une planche.

— Mike, ce n'est pas la peine...

Les images étaient trop violentes pour qu'il pût s'interrompre. Cette évocation avait ressuscité en lui une colère trop longtemps réprimée et il devait, à présent, aller au terme de son récit.

— Tu as voulu la vérité ? Tu dois l'écouter. Pour une lettre leur apprenant que celle qu'ils avaient laissée à la maison ne les avait pas attendus, j'ai vu ces durs s'effondrer et se mettre à pleurer comme des gosses, ravagés par leur amour déçu plus sûrement que par une balle ennemie. L'amour, Denise, ce n'est pas toujours un bienfait, ce peut être aussi l'arme la plus destructrice au monde.

Il esquissa un sourire amer, avant d'ajouter :

— Et cette arme-là, je peux te le dire, est la pire de toutes parce qu'elle ne tue pas d'une blessure franche et nette, mais à petit feu, dans les intolérables douleurs de la trahison.

— Et c'est à cause de cela que tu as fermé ton cœur ?

Mike acquiesça d'un mouvement de tête, étonné de se sentir mieux. C'était comme si le simple fait d'avoir parlé lui avait permis d'exorciser de vieux démons. Et puis, tout d'un coup, c'était étrange, l'amour ne lui paraissait plus aussi terrifiant.

142

— Mais tout cela, c'était avant que je te rencontre, dit-il.

— Je t'en prie, ne recommence pas.

— Tout le monde peut changer d'avis.

— D'avis, oui, mais pas de sentiments, objecta Denise.

— Que veux-tu dire ?

— Tu peux changer d'idées, mais tu ne pourras jamais te forcer à m'aimer. Or, ce qui est du domaine de la raison ne suffit pas à rendre les gens heureux. Mes parents avaient des tas de choses en commun. Ils avaient les mêmes goûts, fréquentaient les mêmes gens, appartenaient au même monde. Et ça n'a pas marché ! Alors, quelles chances aurions-nous, nous deux, de réussir ? Regarde-nous, Mike. D'un côté, une comptable qui aime l'ordre et la rigueur. De l'autre, un motard qui n'a jamais vu les ciseaux d'un coiffeur ! Tu imagines un pauvre bébé tiraillé entre un père et une mère aussi dissemblables. Je ne veux pas que notre enfant souffre comme j'ai souffert de la mésentente de mes parents.

Quand Denise se tut, des larmes coulaient sur ses joues, mais elle avait l'air toujours aussi déterminée à ne faire aucune concession.

Mike eut l'impression qu'une main cruelle lui serrait le cœur. A quoi bon nier l'évidence ? Il l'aimait. Il l'aimait désespérément. Comment expliquer, autrement, cette souffrance qui le taraudait à l'idée de la perdre ?

— Ce que tu dis joue contre toi, objecta-t-il, essayant malgré tout de s'en tenir à des arguments de pure logique. Tu affirmes que tes parents partageaient tout — milieu, goûts, fréquentations — et que leur mariage n'a pas marché. C'est donc bien la preuve que pour s'entendre, il ne faut pas être trop semblables. Au contraire, c'est la différence qui enrichit les couples.

Denise, encore une fois, hocha la tête du même petit air entêté.

— Il est temps que tu réalises que le passé est le passé, poursuivit Mike patiemment. Tes parents ont commis des erreurs, soit. Pour autant, cela ne doit pas t'empêcher de prendre des risques à ton tour. Tu as le droit de vivre, Denise, quitte à te tromper toi aussi.

Au prix d'un effort, il réussit à ne pas craquer devant le regard bleu, embué de larmes, de sa compagne. Il *devait* la convaincre car ce n'était pas seulement pour eux deux qu'il menait ce combat, mais également pour un petit être innocent dont ils étaient tous deux responsables.

— Toi et moi, on pourrait construire quelque chose ensemble, continua-t-il. Une vraie famille. Encore faudrait-il que tu acceptes de nous donner une chance.

— Tu ne sais pas ce que tu dis, Mike. Tu ne supporterais jamais de vivre dans mon milieu.

Il posa les mains sur ses épaules et se rendit compte qu'elle tremblait.

— Qu'en sais-tu ?

— Tu te vois en costume et cravate ? Tu te vois participer à des soirées mondaines ?… Tu devrais comprendre que c'est justement en refusant un mariage qui serait voué à l'échec que je nous donne une chance.

— Es-tu en train de me dire que tu ne peux pas m'épouser pour une histoire de costume ?

— Ne fais pas semblant de ne pas comprendre, Mike, tu sais bien que ce n'est qu'un détail symbolisant tout ce qui nous sépare. Je suis certaine que tu détesterais le monde dans lequel j'évolue.

— Si quelqu'un peut en décider, c'est moi et moi seul. Je t'en prie, accorde-moi au moins de tenter l'expérience.

144

Denise soupira, puis poussa un étrange gémissement avant d'enfouir son visage contre le torse de Mike. Elle était secouée de légers soubresauts et il supposa qu'elle pleurait. Il la tint un moment serrée dans ses bras, s'abandonnant au pur plaisir de sentir leurs deux corps palpitant à l'unisson. Maintenant qu'il avait lui-même réalisé que ce qui avait commencé comme un flirt s'était peu à peu transformé en un véritable amour, il ne pouvait plus concevoir de la laisser s'en aller. Dût-il en mourir, il se battrait bec et ongles pour la garder.

Une idée germa soudain dans son esprit.

— Je t'invite à sortir ce soir, dit-il. Je m'occupe de tout. La seule chose que tu aies à faire, toi, c'est de mettre ta plus belle tenue… Par exemple, cette petite robe bleu ciel que tu portais le premier soir, quand je t'ai emmenée chez O'Doul's. Elle te moulait si bien que rien que d'y penser j'en frémis encore.

Denise s'écarta légèrement et releva la tête. Un pâle sourire éclairait son visage triste.

— Vraiment ? murmura-t-elle.

— Je vendrais mon âme au diable pour avoir le plaisir de te revoir la porter.

Le sourire de la jeune femme s'élargit plus franchement.

— D'accord, à ce soir, acquiesça-t-elle, à la grande joie de Mike qui ne s'était pas attendu à une reddition aussi prompte.

— Tiens-toi prête, je passerai te prendre à 6 heures.

En guise d'au revoir, il déposa un chaste baiser sur la bouche de sa compagne. Surpris alors par le goût salé des larmes, il se jura tout bas que jamais, plus jamais, il ne la ferait pleurer.

Le téléphone sonna peu avant 6 heures.

— Denise ?

La jeune femme se crispa en reconnaissant la voix de son père à l'autre bout de la ligne.

— Bonjour, papa.

Richard Torrance s'éclaircit la voix avant de reprendre la parole. Etait-il réellement hésitant ou était-ce un effet de son imagination ? s'interrogea-t-elle, perplexe. Cela ressemblait si peu au personnage, de tourner autour du pot.

— Je... Je te téléphone au sujet de ce qui s'est passé cet après-midi, annonça-t-il enfin.

Ses doigts se serrèrent autour du combiné. Son père avait-il décidé de l'appeler pour lui faire part, personnellement, de son licenciement ?

— Tu m'as dit que tu n'étais pas en forme en ce moment, poursuivit-il, aussi ai-je pensé que tu aurais peut-être besoin de prendre quelques jours de repos. Ne t'inquiète pas, on trouvera quelqu'un pour te remplacer, en attendant.

Incrédule, Denise écarta le combiné de son oreille et le fixa pendant quelques secondes. Son père, s'intéresser à elle !... Etait-elle en train de rêver éveillée ?...

— Merci, papa, mais ce ne sera pas nécessaire, répondit-elle, se faisant violence pour se concentrer sur la conversation.

Nouveau silence. Puis Richard Torrance reprit.

— Bien. Très bien. Revenons juste une seconde sur ton idée farfelue de quitter l'entreprise.

Denise se redressa pour se donner du courage.

— Cela n'a rien de farfelu.

— Allons donc ! Où est la place d'une Torrance si ce n'est chez Torrance Accounting ? Je ne veux plus jamais t'entendre proférer de telles sottises, d'accord ? Maintenant, j'aimerais te dire deux mots du cocktail annuel que nous donnons pour nos clients. Tout est organisé pour samedi prochain.

Denise sourit tristement. Avec son père, le travail reprenait vite le dessus !

— J'allais te suggérer d'y venir accompagnée de Patrick Ryan, poursuivit l'homme. Ce garçon a un bel avenir dans l'entreprise. En ce moment il est encore en vacances, mais il revient la semaine prochaine. Qu'en dis-tu ?

— Non.

— Pardon ?

— J'irai seule, déclara la jeune femme, persuadée que son refus allait provoquer une nouvelle dispute.

Mais à sa grande surprise, son père ne protesta que mollement.

— Ah bon. C'était juste une suggestion de ma part, mais si elle ne te convient pas…

Richard Torrance, doux comme un agneau … De plus en plus incroyable !

— Je…

Sur le point d'avouer : « Je n'en reviens pas », elle se reprit, modérant l'expression de son ahurissement.

— J'apprécie, dit-elle, mais franchement, je préfère être seule.

Cela, c'était parfaitement exact. Pas question de remplacer le seul l'homme qu'elle voulait avoir à son bras par qui que ce soit d'autre. Pas même par son double.

— Bien sûr, tu es seule juge, renchérit son père avec une docilité qui acheva de la plonger dans la stupéfaction. Bon, tu seras donc à ton bureau demain ?

— Peut-être un peu en retard comme je te l'ai déjà dit, mais oui, je viendrai travailler.

— Prends tout le temps qu'il te faut. A demain.

147

Et sur ces mots, Richard Torrance raccrocha. Trop abasourdie pour réagir immédiatement, Denise demeura un moment à écouter dans le vide le ronron de la tonalité. Que se passait-il ? Les choses changeaient trop vite pour elle. Elle avait l'impression d'avoir été aspirée dans les remous d'un tourbillon. Elle était enceinte... Mike l'avait demandée en mariage... Et, plus invraisemblable encore, son père s'enquérait de sa santé et s'inquiétait de qui l'escorterait au cocktail... Mon Dieu, c'était trop d'un seul coup, elle n'arrivait plus à suivre !

La sonnette de l'entrée la fit sursauter. Revenant au présent, elle reposa le téléphone, attrapa son sac et fonça ouvrir. Fallait-il que l'appel de son père l'eût perturbée, se dit-elle en réalisant qu'elle n'avait même pas entendu la Harley s'arrêter devant chez elle. Un instant plus tard, elle comprit pourquoi.

Mike était venu... en voiture !

Un changement de plus à ajouter à la liste de ceux qui lui donnaient déjà le tournis, songea-t-elle, de nouveau sous le choc. Et elle n'était pas au bout de ses surprises... Son étonnement fut à son comble lorsque Mike lui annonça que cette voiture lui appartenait et qu'il l'avait achetée le jour même.

— Mais tu m'as dit que tu détestais les voitures ! s'exclama-t-elle.

Il se mit à rire.

— J'ai dit aussi que tout le monde avait le droit de changer d'avis. Mon choix s'est vite porté sur ce modèle solide et confortable. Une bonne voiture familiale.

« Une bonne voiture familiale »... Ces paroles paraissaient tellement étranges dans la bouche de Mike que Denise dut se les répéter plusieurs fois mentalement pour être sûre de les avoir bien comprises.

Quand ils furent dehors, son compagnon la prit par le bras pour la guider jusqu'à la voiture rutilante, garée le long du trottoir.

— Le confort, c'est pour toi, la couleur rouge c'est pour moi, plaisanta-t-il en lui ouvrant la portière.

Elle s'avisa alors de ce que Mike ne portait plus, comme de coutume, un banal T-shirt. S'il n'avait pas été jusqu'à opter pour un costume classique, il avait tout de même fait un remarquable effort de recherche en choisissant une chemise blanche au col rayé, assortie d'un pantalon sombre au pli impeccable. Il n'avait pas non plus sacrifié la longueur de ses cheveux, mais, pour une fois, pas une mèche ne dépassait de son catogan soigneusement noué sur sa nuque.

Galamment, il attendit qu'elle fût installée, referma la portière et contourna la voiture pour rejoindre sa place.

— Eh bien, en route ! dit-il en s'asseyant au volant.

Le dîner était terminé. Ces trois dernières heures s'étaient écoulées comme dans un rêve, à tel point que c'était à peine si Denise se rappelait les plats, pourtant délicieux, qu'on lui avait servis dans ce luxueux restaurant, magnifiquement situé au sommet d'une falaise.

A présent, assise dans un confortable fauteuil du Performing Arts Center, elle assistait à une pièce de théâtre. De temps à autre, elle surprenait Mike, à côté d'elle, en train de glisser l'index dans son col de chemise. Visiblement, le pauvre souffrait de la torture qu'il s'était infligée pour lui plaire !

Malgré tout le plaisir que lui procurait le spectacle, elle avait un peu de mal à se concentrer. Tellement de bouleversements s'étaient produits en si peu de temps ! A l'étrange changement d'attitude de son père, à la nouvelle de sa grossesse, à la demande en mariage de Mike, était venue s'ajouter ce soir la transformation de cet homme aux vagues allures de mauvais garçon en gentleman. Cela faisait vraiment beaucoup !

Regardant son compagnon à la dérobée, elle ne put s'empêcher de se demander pour la énième fois si cela pourrait marcher entre eux. Bien sûr, physiquement, leur entente était parfaite, et Mike semblait éprouver un peu d'affection pour elle, mais cela suffisait-il ?…

Ruminer ne lui servirait qu'à s'attirer de nouvelles crampes d'estomac, se dit-elle en sentant les spasmes monter. Par un effort de volonté, elle s'obligea à reconcentrer son attention sur la pièce. C'était peut-être la dernière soirée qu'elle passait avec Mike et elle ne voulait pas la gâcher. Dès le lendemain, elle aurait tout le temps de ressasser ses soucis.

On en était maintenant au cœur de l'intrigue. Sur la scène se déroulait la triste histoire d'une brave fille qui regrettait amèrement d'avoir épousé un voyou… Funeste coïncidence !

Mike se gara dans l'allée menant à son garage.

— Pourquoi repasser chez toi ? s'étonna Denise.

Il lui jeta un regard de biais, haussa les épaules et sourit.

— J'ai pensé que tu apprécierais de finir la soirée par une petite virée à moto.

Tenue vestimentaire soignée, grand restaurant et soirée au théâtre, il avait sorti le grand jeu ! Mais maintenant qu'il avait déployé tous ses efforts pour la séduire, il lui semblait qu'une balade en Harley, serrés l'un contre l'autre, s'imposait comme le point d'orgue de cette opération de la dernière chance.

150

— Mike...

Qu'il détestait le ton de cette voix qui sonnait déjà comme un adieu !

— Allons, viens, dit-il, entraînant la jeune femme par la main pour descendre l'allée obscure.

Dans le garage, il alluma la lumière, alla tout de suite enfourcher sa moto, tira les clés de sa poche et fit rugir le moteur. En voyant Denise qui attendait à côté de lui, immobile, figée dans un calme inquiétant, il sentit son cœur s'emballer.

Si elle devait le repousser définitivement, il ne le supporterait pas. Quand avait-il baissé la garde ? Comment l'amour avait-il pris possession de lui ? Il n'en savait rien, mais il était sûr d'une chose à présent : il n'abandonnerait pas avant d'avoir convaincu la jeune femme qu'ensemble ils devaient prendre tous les risques, même les plus fous.

Il ne réfléchit pas. Dans un élan désespéré, il souleva sa compagne du sol, la plaça face à lui sur la moto, à califourchon, puis, se plaquant contre elle, s'empara de ses lèvres dans un long baiser sensuel qu'elle accueillit avec un gémissement de plaisir.

Denise lui enlaça la nuque, cherchant à se serrer davantage contre lui comme si elle désirait que leurs deux corps ne fassent plus qu'un. Soumis aux vibrations de la moto qui faisaient remonter des frissons le long de leur dos, ils s'engagèrent alors dans une étrange danse muette, délicieusement érotique.

Les mains de Mike glissèrent sur les hanches de sa compagne, pour s'insinuer aussitôt sous le tissu de cette adorable robe qu'elle avait mise à sa demande. Il remonta doucement sur ses bas, centimètre par centimètre, pour faire durer le plaisir... Et puis, brusquement, au contact de sa peau nue, une fièvre puissante s'empara de lui. Ses

151

doigts s'immobilisèrent sous le coup d'une poussée de désir insoutenable.

— Oh, Denise... Denise..., susurra-t-il d'une voix grave et profonde.

Pour toute réponse, elle se lova contre lui, effleurant en d'habiles et langoureuses caresses sa chair en feu. Alors, projeté dans un univers de pure jouissance, Mike se dit qu'il devait la faire sienne maintenant. Vite, très vite...

11.

Denise inclina la tête en arrière, s'offrant aux lèvres de Mike sur son cou. Sous sa bouche brûlante, sous les doigts qu'il promenait sur ses cuisses, elle se sentait revivre, et plus rien ne comptait à présent que ce plaisir intense et bouleversant que décuplaient les trépidations du moteur.

— J'ai terriblement envie de toi, Mike, murmura-t-elle dans un souffle.

En même temps que le gémissement rauque de son compagnon, la jeune femme perçut le crissement de sa petite culotte de dentelle déchirée. Instinctivement, répondant à un appel sauvage montant des profondeurs de son être, elle plaqua ses hanches contre Mike et, au contact de son sexe gonflé de désir, ne put réprimer un cri.

— Une seconde, chérie, chuchota-t-il en la repoussant légèrement, le temps pour lui de détacher la boucle de sa ceinture.

Il posa ensuite ses mains sur ses hanches et, avec douceur mais fermeté, la guida vers lui. Elle savait maintenant que le bonheur suprême n'était pas loin…

Un éclair fulgurant la traversa lorsque son amant se fondit en elle, tout ensemble tendre et puissant. Crispée de plaisir, elle s'accrocha à lui désespérément, lui griffant les bras, les épaules, le torse.

Les yeux grands ouverts, elle fixait Mike, qui lui-même la contemplait avec impudeur. Le bleu et le vert de leurs regards se confondaient comme dans l'océan un jour de tempête, tandis que leurs corps mêlés s'accordaient au rythme l'un de l'autre. Un flot de sensations submergeait la jeune femme à mesure que montaient des spasmes de plaisir qui s'enroulaient en elle telles des spirales de feu.

Cette fois, n'y tenant plus, Denise ferma les yeux, aspirant de toutes ses forces à l'explosion finale qui comblerait sa chair palpitante comme une terre assoiffée sous l'ondée tant attendue. L'excitation était à son paroxysme. Sa respiration s'était suspendue. Elle avait l'impression de voler quelque part entre ciel et terre… Emportée par le vertige, elle se cambra une ultime fois à la rencontre de Mike.

Puis ce fut soudain comme un ouragan. Intense. Violent. Ravageur. Et le paradis au bout de la course…

Le délire des sens les laissa pantois, haletants, mais profondément heureux et éperdument enlacés l'un à l'autre.

Trente minutes plus tard, ils étaient de retour chez Denise. Sur le perron, Mike prit la clé que la jeune femme lui tendait et il lui ouvrit la porte.

— Puis-je entrer ? demanda-t-il.

— Naturellement.

Elle le précéda à l'intérieur. Abandonnant en passant son sac sur la console, elle se rendit directement dans le salon où elle s'assit sur le canapé. Mike, lui, resta debout. A sa manière de la dévisager, elle comprit tout de suite qu'il avait l'intention de relancer le sujet du mariage. Aussi, préférant prendre les devants pour couper court à une conversation qu'elle redoutait, elle déclara tout de go :

— Je veux que tu saches que ce qui vient de se passer ce soir ne change rien à notre situation.

154

Il accusa le coup et ses traits se contractèrent imperceptiblement.

— Que veux-tu dire ? Ce n'était pas bien ?

— C'était formidable, au contraire. Physiquement, nous nous accordons parfaitement, là n'est pas la question. Mais ce n'est pas à nous que je pense maintenant, c'est au bébé et à ce qui est le mieux pour lui.

— Ce qui est le mieux pour un enfant, c'est qu'il vive entouré de ses deux parents.

— C'est évident.

Mike fixa Denise avec des yeux écarquillés.

— Dans ce cas, où est le problème ?

— Le problème, c'est que, dans ton esprit, le statut de parent va nécessairement avec le mariage. J'ai encore repensé à cela toute la soirée.

— Et que t'es-tu dit ?

Trop nerveuse, la jeune femme se leva et se mit à déambuler à travers le salon.

— Que faire ?… Comment gérer cette situation ?…, murmura-t-elle, comme si elle réfléchissait tout haut. D'un côté, je ne voudrais pas priver cet enfant de la présence de son père et j'aimerais aussi que nous continuions à nous voir, mais nous marier… Non, c'est impossible.

— Que suggères-tu donc ?

— Que nous ne fassions rien, justement. Comme tu l'as dit le premier soir où nous sommes sortis ensemble, pourquoi ne pas être simplement deux amis se retrouvant de temps à autre pour une partie de plaisir ?

Le visage de Mike se durcit et c'est presque sur le ton de la colère qu'il s'écria :

— Tu vas donc retenir chacune de mes paroles pour me les ressortir quand ça t'arrange ? Bon sang, Denise, je ne me contenterai jamais d'être un père et un amant intermittents… Tu ne devines donc pas ?

Il lança à la jeune femme un regard profond et pénétrant qui la chavira. Mais ce fut encore bien pire pour elle lorsque, avec un calme contrastant étonnamment avec son emportement précédent, il ajouta :

— Je m'étais promis de ne jamais prononcer ces mots-là, mais… Je t'aime, Denise. Voilà, je te l'ai dit. Je veux fonder une famille avec toi et notre bébé.

Sous le choc, le jeune femme resta bouche bée. Le souffle lui manquait et un nœud lui serrait la gorge jusqu'à la douleur. Un moment passa avant qu'elle recouvre enfin l'usage de la parole… et la force de protester encore :

— Comment notre enfant pourrait-il être heureux si nous ne le sommes pas nous-mêmes ?

Mike leva les bras, puis, dans un geste d'impuissance, les laissa retomber le long de son corps.

— Et pourquoi ne serions-nous pas heureux ?

— Je t'ai déjà cité l'exemple de mes parents.

— Cesse de te référer constamment à eux et d'imaginer que tu ne peux que reproduire leurs erreurs à l'infini. Nom d'un chien, tu n'es plus une petite fille, oublie un peu papa et maman !

Dans le ton sarcastique de Mike perçait aussi une souffrance dont Denise se savait responsable. Mais qu'y pouvait-elle puisqu'il lui demandait l'impossible ?

— Comment oublier une enfance marquée au sceau du malheur ? soupira-t-elle. Tu ne peux pas imaginer ce que c'est que de grandir entre deux parents qui se déchirent. Je ne permettrai jamais que notre enfant vive ce que j'ai vécu.

— Bonheur ou malheur… La vie est tout simplement ce que l'on veut en faire. Ton père et ta mère, chacun à sa manière — lui indifférent et tyrannique, elle trop soumise —, sont sûrement les premiers responsables de leur échec.

— Quoi !

Mike rejoignit Denise à l'autre bout du salon, se planta face à elle et déclara d'une voix forte :

— Toutes les familles ne sont heureusement pas à l'image de la tienne. Si mon père avait méprisé ma mère, je te prie de croire qu'elle aurait su se défendre. Chacun est maître de son destin. Le bonheur ne s'impose pas, il se gagne, se mérite. Rien ne tombe du ciel, par hasard. Et pour ce qui nous concerne, je ne vois pas comment le fait de s'aimer pourrait nous mener au malheur.

— Ne t'énerve pas, je n'ai jamais prétendu qu'il était mal de s'aimer, j'ai simplement dit que cela ne suffisait pas à rendre les gens heureux.

Un instant, Denise se demanda comment elle allait pouvoir s'échapper alors que Mike l'acculait contre le mur. Elle ne trouva d'autre solution que de le bousculer et, pour mettre entre eux une distance de sécurité, elle alla se poster à l'angle opposé du salon. Elle n'avait seulement pas prévu qu'il la suivrait de nouveau !

— De qui as-tu le plus peur ? demanda-t-il en la saisissant fermement par les épaules. De moi ? Ou de toi-même ?

— Je n'ai pas peur, se défendit la jeune femme, j'essaie seulement de ne pas me laisser aller à des réactions primaires et instinctives.

— Puisque tu te souviens de toutes mes paroles, tu devrais maintenant te rappeler ce je t'ai déjà dit et que je te répète : tu réfléchis beaucoup trop. Il faut aussi savoir accepter de laisser parler ses sentiments.

— Les sentiments, pfft ! ricana-t-elle. N'as-tu pas vu la pièce de théâtre, ce soir ?

— Allons bon, de quoi parles-tu maintenant ?

— Rien ne t'a frappé dans cette histoire ?

Comment Mike ne s'était-il rendu compte de rien ? se demanda Denise. Le parallèle entre eux et ces deux héros, tombés amoureux pour leur malheur alors qu'ils n'auraient jamais dû se rencontrer, était tellement évident ! Elle avait tout de suite vu là un signe du destin, un message, un avertissement.

— Quelqu'un essayait de nous dire quelque chose, de nous mettre en garde, insista-t-elle.

— Ce n'était qu'une pièce, qu'une œuvre d'imagination. Tu rêves !

Elle secoua la tête obstinément.

— Non, c'est toi qui n'as rien compris. Tu n'as pas perçu les similitudes entre nous et ces deux personnages.

— L'émotion et la fatigue te font délirer. Tu confonds fiction et réalité.

Prenant Denise par le coude, Mike la fit pivoter vers lui.

— Réveille-toi ! Reviens sur terre ! dit-il en la fixant droit dans les yeux. Nous sommes des êtres de chair et de sang. Ce que nous ressentons est bel et bien réel. Notre amour n'a pas besoin d'une scène de théâtre pour exister.

— Je sais, mais quand même, quelle coïncidence ! Tu dois bien reconnaître que...

— Tout ce que je reconnais, c'est que tu me rends fou, coupa Mike d'une voix coléreuse. Quoi que je fasse, quoi que je dise, tu me repousses. Jusqu'à maintenant, je t'ai patiemment écoutée, j'ai essayé de te comprendre. Mais tu ne vois donc pas que tu me tortures ? Tu ne réalises pas à quel point, moi aussi, cela me terrorise de penser que tu pourrais me rejeter pour toujours ? Sur le champ de bataille, j'ai fait face aux balles de l'ennemi avec moins d'angoisse qu'en ce moment. Je ne peux rien faire de plus que de te dire encore que je t'aime… Tu es libre ou non de me croire. A toi de choisir.

— Si seulement c'était aussi simple !

Dans le bleu profond du regard de sa compagne, Mike lut à la fois une crainte irraisonnée et une profonde confusion. Il avait tout essayé pour la convaincre et ne savait plus que faire ni que dire. Finalement, n'était-ce pas d'elle que devait venir la décision ? A quoi rimait de vouloir lui extorquer un consentement qu'une part d'elle refusait encore ?

Il encadra le visage de Denise entre ses deux mains et l'enveloppa longuement d'un regard tendre. En donnant à celle qu'il aimait la liberté de partir, il faisait un pari risqué, il en était conscient, mais son expérience de la guerre lui avait enseigné que l'on gagne parfois à abandonner provisoirement l'initiative à l'adversaire.

— Je ne marche pas dans ce que tu me proposes, reprit-il, faisant tous ses efforts pour ne pas céder à l'émotion que lui causait le regard embué de larmes de la jeune femme. Je refuse de n'être qu'un père à mi-temps pour mon enfant et, pour toi, qu'un amant.

Ses lèvres tremblaient. Elle était visiblement sur le point d'éclater en sanglots. Encore une fois, Mike dut se faire violence pour ne pas la prendre dans ses bras, la consoler, la bercer doucement comme on berce une enfant malheureuse, en lui chuchotant que pour ne plus la voir souffrir, il acceptait toutes ses conditions.

Au lieu de quoi, il poursuivit avec détermination.

— Je veux la passion ou rien. Je préfère encore le néant à la tiédeur. Je veux que tu viennes vivre chez moi et que notre enfant grandisse dans cette petite maison, près de la plage, qui a abrité le bonheur de mes grands-parents. Je veux que notre couple soit aussi réussi et notre amour aussi fort que le leur.

Il s'interrompit, juste le temps de cueillir une larme qui roulait sur la joue de la jeune femme.

— Je veux m'endormir tous les soirs dans tes bras et m'éveiller au goût de tes lèvres. Je t'aime, répéta-t-il, s'étonnant de trouver ces mots, jusque-là imprononçables, de plus en plus doux à dire. Maintenant, tout dépend de toi. C'est à toi de décider si tu veux t'octroyer le droit de vivre ou continuer à laisser tes peurs d'enfant t'étouffer.

— Mike, je t'...

— Chut, dit-il en lui barrant la bouche de l'index, je sais que tu m'aimes, chérie. Ce n'est pas l'amour qui est en question, c'est la confiance.

— Je...

De nouveau, il lui coupa la parole, craignant qu'elle ne prenne trop vite, sous la pression, une décision qu'elle regretterait.

— Ne dis rien, surtout. Je veux que tu t'accordes tout le temps nécessaire pour faire ton choix.

Comme elle opinait, il se pencha vers elle et scella leur accord dans un baiser — un baiser au goût amer de frustration.

Et, avant de changer d'avis ou de n'en avoir plus le courage, il quitta l'appartement.

Quatre jours plus tard, Denise tentait désespérément de se concentrer sur son travail. En vain ! Elle avait beau faire tous ses efforts, ses pensées revenaient toujours vers Mike. Quatre jours sans lui, sans un appel, sans même un signe, elle n'en pouvait plus.

Les occupations ne manquaient pourtant pas à quelques jours du cocktail que Torrance Accounting organisait tous

160

les ans pour ses clients, mais même en pleine activité — souvent au moment où elle s'y attendait le moins — les mêmes images surgissaient, troublantes et obsédantes. Et le soir, quand elle se retrouvait dans le calme et la solitude de son appartement, c'était encore pire.

Hantée par le souvenir des heures passées avec Mike, meurtrie par son silence, elle se sentait perdue. Seul ce bébé qui poussait dans son ventre lui donnait encore le goût de vivre. Pour ce petit être qu'elle devait protéger, elle n'avait pas le droit de se laisser totalement aller au désespoir.

Dans quelques mois, elle ne pourrait plus cacher sa grossesse. D'ici là, elle aurait pris les plus difficiles décisions de sa vie : épouser Mike et risquer de souffrir à cause de lui, ou refuser le mariage et choisir de souffrir sans lui. Entre deux maux...

L'arrivée de sa secrétaire la tira opportunément de ses ruminations. Elle qui d'habitude n'aimait pas être dérangée aurait donné n'importe quoi pour qu'on vienne la distraire. En ce moment, d'ailleurs, elle n'était guère difficile : n'importe quel sujet faisait l'affaire pourvu qu'elle n'entende pas prononcer le nom de Ryan !

— Qu'y a-t-il, Velma ?

— Patrick Ryan a appelé.

Denise s'affala dans son fauteuil, sonnée comme si quelqu'un venait de lui asséner un méchant coup sur la tête. Pour se changer les idées, c'était raté !

— Ça ne va pas, mademoiselle Torrance ?

— Si... si, affirma la jeune femme, un sourire de circonstances plaqué sur les lèvres, c'est juste que je suis un peu surmenée en ce moment. Que voulait donc Patrick ?

— Je l'ai trouvé bizarre. Il a dit qu'il avait besoin d'un congé de trois semaines et m'a demandé d'en aviser votre père.

— Un congé, après un mois de vacances ! Vous êtes sûre d'avoir bien compris ?

— Je vous assure, c'est exactement ce qu'il a dit.

— A-t-il laissé un numéro de téléphone où le joindre ?

— Non, il a seulement dit qu'il garderait le contact.

Eh bien, si Patrick était comme son frère, Torrance Accounting n'était pas près d'avoir de ses nouvelles ! songea Denise. Et tandis que Velma sortait de son bureau, elle maudit les hommes tout bas — tous en général, et les frères Ryan en particulier !

A peine la secrétaire de Denise avait-elle regagné son bureau que son téléphone sonna. Elle décrocha et sourit en reconnaissant la voix de l'homme qui était au bout du fil.

— Salut, Velma, dit Mike. Comment va-t-elle aujourd'hui ?

— Bien. Un peu pâlichonne, peut-être. Préoccupée aussi. Mais elle travaille normalement.

Mike grimaça en s'enfonçant dans son canapé, les pieds sur la table basse de son salon. Qu'il lui était pénible de ne pas pouvoir se rendre compte de l'état de Denise par lui-même ! Pourtant, si c'était le prix à payer pour obliger la jeune femme à reconnaître qu'ils ne pouvaient pas vivre l'un sans l'autre, il était prêt à continuer, le temps qu'il faudrait, à passer par les services d'une secrétaire complaisante pour avoir de ses nouvelles.

Tout de même, lorsqu'il lui avait proposé de prendre tout son temps pour réfléchir, il ne pensait pas qu'elle le ferait attendre aussi longtemps.

Heureusement que Patrick lui avait suggéré cette bonne idée, histoire de donner un petit coup de pouce au destin...

— A propos, Velma, ce cocktail de Torrance Accounting, c'est à quelle heure ?

12.

— Je n'aurais jamais cru que Patrick Ryan soit capable de ça, s'étrangla Richard Torrance. Enchaîner un congé derrière des vacances sans même se soucier des conséquences que cela aura sur le service, il faut vraiment se fiche du monde !

— Il a dû lui arriver quelque chose, dit Denise, assise dans le fauteuil de cuir, face au bureau de son père.

— Il faut que ce soit bien grave pour qu'il en oublie ses responsabilités professionnelles.

Cela faisait dix minutes qu'elle écoutait l'homme récriminer. Sa tête tournait et la nausée commençait à se faire sentir. Le coupable, Patrick Ryan, allait l'entendre quand il allait revenir ! Le lâche savait bien que son absence ferait sortir Richard Torrance de ses gonds et que ce serait sur elle que cela retomberait. Si c'était cela un ami… !

Mike, lui au moins, ne lui aurait jamais joué un tour semblable, songea-t-elle, s'étonnant que cette pensée lui traverse l'esprit en un moment pareil. Elle avait beau être déçue par l'indifférence silencieuse dont il faisait preuve depuis plusieurs jours, elle se devait aussi d'être honnête en reconnaissant ses qualités de franchise et de courage. A l'inverse de son frère, fuyant, il ne faisait aucun doute que Mike aurait appelé Richard Torrance pour l'informer personnellement de la situation. Et à supposer que ce dernier ait poussé les hauts cris et se soit mis à le sermonner — ce qui était plus que probable ! —, Mike aurait certainement eu le cran d'assumer sa décision en donnant sa démission. D'évidence, cet homme-là n'était pas du genre à attendre tranquillement que les événements décident à sa place. Il l'avait prouvé en osant lui déclarer son amour en dépit des arguments ridicules qu'elle lui avait opposés…

Denise se redressa dans son fauteuil et, tandis que son père continuait à discourir tout seul, elle laissa son regard errer au loin, admirant, par-delà la grande baie vitrée, l'océan qu'un vent assez fort parsemait de moutons d'écume blanche. Tels de gracieux papillons, une dizaine de bateaux, au mépris du danger, dansaient toutes voiles dehors sur ces flots agités. Tout un symbole ! songea la jeune femme, se sentant brusquement très timorée. Pendant que les autres prenaient des risques, elle se complaisait enfermée dans son carcan de peurs et d'inhibitions…

Comme sous le coup d'une illumination, la vérité s'imposa à elle. Eclatante et irréfutable. Il était grand temps qu'elle sorte de son cocon, qu'elle repousse définitivement ces craintes puériles qui l'empêchaient de vivre, qu'elle accepte enfin d'admettre que son bonheur ne dépendait que d'elle.

Finalement, contre toute attente, ces quatre jours sans Mike lui avaient été salutaires. Après tout, peut-être devait-elle en passer par là pour comprendre, toucher le fond pour avoir la force de rebondir ?… Qu'importaient ce que ses parents avaient fait de leur vie, tout ce qui comptait à présent, c'était l'avenir qui s'ouvrait devant elle, aux côtés de Mike.

Oui, elle avait le droit de vivre ! Oui, elle avait le droit de laisser sa vraie personnalité s'épanouir ! Pourquoi lui avait-il fallu autant de temps pour comprendre cette évidence ? Elle avait passé son existence à se forger un personnage, à se couler dans la peau d'une autre avec, pour seule ambition, de s'attirer l'affection de son père. Mais ce rôle avait fini par l'étouffer et elle réalisait maintenant combien, pour sa survie, il était urgent qu'elle en sorte.

Forte de la décision qu'elle venait de prendre, elle se leva d'un bond, interrompant le monologue de son père... que, de toute façon, elle n'écoutait plus depuis longtemps !

— Où vas-tu ? aboya ce dernier.

— Je dois partir plus tôt, aujourd'hui.

— Attends une minute. Tu ne peux pas t'en aller comme ça, je n'ai pas fini.

Arrivée sur le seuil du bureau, Denise se retourna.

— Je n'ai pas le temps, mais je t'expliquerai plus tard, d'accord ?

— Non, j'exige une explication immédiate.

Comme d'habitude, la voix était autoritaire et le ton comminatoire, mais désormais la jeune femme n'avait plus envie de se soumettre.

— Impossible.

Richard Torrance entrouvrit la bouche, puis la referma sans avoir dit un mot. Etonnant ! Jamais Denise n'aurait cru que son père fût capable de supporter la contradiction. Espérant qu'il l'aimerait davantage si elle ne le heurtait pas, elle s'était toujours appliquée à se taire. Avait-elle donc passé pour rien toutes ces années à se contrôler, à réfréner ses désirs, à contenir ses joies, ses peines et ses espoirs ?... Aussi difficile que cela fût à admettre, elle devait bien reconnaître que cette attitude, au bout du compte, n'était que le reflet de son manque de courage : elle n'avait tout simplement pas eu le cran de se battre pour s'imposer.

Elle repensa à sa mère. Pour elle aussi, les choses n'auraient-elles pas été complètement différentes si elle avait eu le courage de revendiquer ses désirs et d'exiger de son mari le respect et l'écoute que toute femme est en droit d'attendre de l'homme qu'elle a épousé ?...

— Papa, as-tu aimé maman ? s'enquit Denise à brûle-pourpoint.

Richard Torrance devint rouge cramoisi, puis se laissa aller contre le dossier de son fauteuil en regardant sa fille comme s'il était face à une extraterrestre.

— Hein ?

— Ma question est simple. As-tu aimé maman ? répéta-t-elle.

Une longue minute silencieuse s'ensuivit.

— Oui, je l'ai aimée.

— Pourquoi n'étais-tu jamais avec nous ? Pourquoi passais-tu tout ton temps à ton bureau ?

Son père détourna le regard et, pour se donner une contenance, tapota une liasse de documents empilé sur son bureau.

— Etait-ce à cause de moi ? insista la jeune femme, posant enfin la question qui lui brûlait les lèvres depuis des années.

Richard Torrance leva les yeux et dévisagea Denise d'un air ébahi.

— Certainement pas. Tu n'étais qu'une enfant ! Ce qui se passait entre ta mère et moi ne te concernait pas.

Elle revint sur ses pas et, s'appuyant sur le bureau, se pencha vers son père.

— Cela ne me concernait pas ?... Il ne t'est donc jamais venu à l'esprit que je pouvais me demander pourquoi tu n'étais jamais à la maison et pourquoi maman semblait aussi malheureuse ?

Un bref instant, elle regretta d'avoir abordé ce sujet en voyant les traits de son père se figer sous un masque de souffrance. Mais le temps était venu, après toutes ces années, de se parler franchement. Elle attendit donc que Richard Torrance, qui pour le moment contemplait en silence ses mains posées à plat sur son bureau, se décide enfin à lui donner des explications.

— Ta mère était une femme… compliquée, dit-il après un long moment, d'une voix où perçait une émotion qu'elle ne lui avait jamais entendue. Je n'ai jamais vraiment réussi à savoir qui elle était ou ce qu'elle désirait.

Le regard lointain, il secoua la tête, comme perdu dans ses souvenirs.

— Perpétuellement insatisfaite, poursuivit-il. Quelque chose la rongeait de l'intérieur, mais quoi ? A la maison, elle était toujours en mouvement, comme si elle voulait surtout s'éviter de penser. Toujours nerveuse. Toujours tendue. Quand j'étais là, elle semblait encore plus bouleversée, aussi ai-je fini par prendre l'habitude de rester au bureau de plus en plus tard.

— Elle t'aimait et attendait seulement ton amour en retour.

— Mais elle ne m'a jamais dit qu'elle m'aimait ! s'exclama Richard Torrance sur le ton étonné de quelqu'un qui vient de faire une découverte.

Un sentiment de tristesse envahit Denise. En se renfermant chacun sur soi, alors qu'il était si simple de se parler, d'ouvrir son cœur à l'autre, ses parents avaient contribué à leur propre infortune. Ils avaient vécu ensemble, mais séparés. Quel gâchis !

S'écartant du bureau, elle sourit faiblement à l'homme qu'elle avait méconnu pendant tant d'années. Chez les Torrance, le malheur était né d'un immense malentendu, mais le passé ne pouvait pas se réécrire et l'heure n'était plus aux reproches — plus maintenant, à quoi bon ? Il était temps de livrer ces mots jusqu'alors indicibles...

— Je t'aime, papa.

Denise crut voir des larmes briller dans le regard de son père, mais cette impression fut si fugace qu'elle se demanda si elle n'avait pas rêvé.

— Si tu m'expliquais, maintenant, pourquoi tu veux rentrer chez toi plus tôt que d'habitude, reprit-il, visiblement désireux de changer de sujet.

— Une autre fois, je te le promets, répliqua la jeune femme en s'enfuyant. Quand j'aurai davantage de temps.

Pour le moment, elle n'avait plus une seconde à perdre.

Elle avait déjà perdu quatre précieux jours.

— Mais où est-il donc ? soupira Denise à voix haute, passant et repassant en voiture devant la maison de Mike.

Trois jours s'étaient écoulés depuis cette importante conversation qu'elle avait eue avec son père. Trois jours pendant lesquels elle avait vainement essayé de joindre Mike. Il n'était jamais chez lui lorsqu'elle l'avait appelé, il n'avait pas davantage donné suite aux messages qu'elle avait laissés sur son répondeur, et les quelques fois où elle avait tenté de le surprendre au magasin, cela avait été pour s'entendre dire que le patron venait justement de partir et que personne ne savait où il était allé. Bref, Denise avait fini par comprendre que Mike cherchait tout simplement à l'éviter. Mais ce qu'elle aurait admis avec résignation il y avait peu encore lui paraissait désormais inacceptable. Voilà donc pourquoi elle était là, ce soir, à rôder autour de chez Mike, à l'heure où elle aurait dû normalement être en train d'accueillir les invités au cocktail de Torrance Accounting.

En imaginant son père furieux, en train de trépigner d'impatience, la jeune femme fit un brusque demi-tour pour reprendre la direction du centre-ville. Chaque chose en son temps, se dit-elle. Elle allait d'abord faire son devoir professionnel comme si de rien n'était, puis elle repartirait à la recherche de Mike. Elle avait peut-être mis plus de temps que n'importe qui à comprendre où était son bonheur, mais ce n'était pas maintenant qu'elle l'avait découvert qu'elle allait y renoncer !

Denise se gara, descendit de voiture et prit le ticket que lui tendait le gardien du parking du Sea Sprite Hotel. Des portes de l'établissement grandes ouvertes sortait une musique qui s'entendait à une centaine de mètres à la ronde : comme elle le redoutait, la fête avait déjà commencé sans elle.

Activant le pas, elle se dirigea vers le luxueux hôtel. Dans le vaste hall d'entrée, une foule élégante se pressait sous le cristal scintillant des lustres tombant en cascade de plafonds richement ornés. D'un aimable sourire, d'une poignée de main et de quelques mots polis, la jeune femme salua les clients qu'elle connaissait, puis, sans perdre un instant, monta au deuxième étage où avait lieu la réception. Elle était si pressée qu'elle aurait bien franchi les marches du grand escalier de marbre quatre à quatre si l'étroitesse de sa jolie robe de soie rouge ne l'avait obligée à avoir une démarche plus appropriée à la circonstance !

A peine était-elle arrivée en haut des marches qu'elle se retrouva nez à nez avec son père.

— Ah, enfin ! Tu es en retard, lui fit-il remarquer en l'entraînant par le bras dans la grande salle, un peu plus loin.

170

Denise embrassa les lieux du regard. Dans un joyeux brouhaha, les convives bavardaient par groupes, tandis que quelques couples virevoltaient déjà sur la piste de danse. D'habitude, elle aimait retrouver l'ambiance à la fois élégante et décontractée de ce cocktail. Mais ce soir, c'était très différent : le cœur n'y était pas.

— J'ai été retardée. J'avais quelque chose d'important à faire, dit-elle simplement.

Son père la regarda en silence. Sans doute attendait-il des excuses, mais comme elle ne disait rien de plus, il enchaîna.

— Beaucoup d'invités se sont étonnés de ne pas te voir. Dépêche-toi d'aller les rejoindre et dire bonjour aux uns et aux autres. Et n'oublie surtout pas d'adresser deux mots à Mme Rogers qui s'inquiète du résultat financier de...

Denise interrompit son père.

— Je ne reste pas.

— Tu plaisantes ? Il n'est pas question que tu t'en ailles. Cette soirée est trop importante pour que tu te défiles. D'ailleurs, même Patrick, après coup, s'est rendu compte qu'il était de son devoir d'y assister.

— Patrick est là ? s'étonna la jeune femme en portant un regard fébrile autour d'elle.

La nouvelle était tout bonnement incroyable ! En apprenant que Patrick Ryan avait réclamé un congé après ses vacances, Denise avait déjà soupçonné son ami d'avoir quelque peu perdu la tête. Et voilà qu'il avait de nouveau changé d'avis !

— Il est par là, dit Richard en faisant un ample geste vers les invités. Tiens, regarde, au milieu de ce groupe... Le type en gris, qui nous tourne le dos.

Denise sursauta en détaillant l'homme que désignait son père. Belle carrure. Cheveux courts. Costume impeccable. Bien sûr ce pouvait être Patrick, mais… il y avait en lui quelque chose d'étrangement fascinant, quelque chose qu'elle n'aurait su définir mais qui la troublait de façon inexplicable. Pour en avoir le cœur net, il ne lui restait plus qu'à attendre qu'il se retourne…

— Ma propre fille, ne pas participer à cette soirée ? Non, je t'assure, ce serait de la folie, insista son père, poursuivant son idée.

— Bon, je reste… pour l'instant.

— Que veux-tu dire ?

Les événements les plus extraordinaires se produisant souvent au moment où l'on s'y attend le moins, Denise se sentit brusquement poussée par l'impérieux besoin de se libérer du poids qui l'oppressait. Trouvant en elle une force et une assurance qu'elle ignorait posséder, elle s'entendit déclarer d'une voix tranquille :

— Autant que je te dise la vérité. Quelqu'un m'a demandée en mariage il y a une semaine.

L'incompréhension se peignit sur les traits de son père.

— Quoi ! Qui ?

Le regard rivé sur l'homme au costume gris, la jeune femme s'exhorta silencieusement au courage, prit une grande respiration et lâcha d'un trait :

— Le père de mon enfant.

Richard Torrance devint rouge comme une pivoine et ses yeux s'écarquillèrent tant qu'on eût dit qu'ils allaient lui sortir des orbites.

— Tu es… Tu es…, parvint-il seulement à bredouiller, incapable d'aller au bout de sa phrase.

— Enceinte, finit Denise à sa place. Oui, tu vas être grand-père.

— Grand-père ?

172

Elle lui tapota affectueusement le bras.

— Ne t'inquiète pas, papa, tu t'y habitueras. Le seul problème, c'est que je ne suis pas sûre que cet homme veuille encore de moi.

— Pourquoi ?

— Je l'ai rendu fou à force de prétendre que nous n'étions pas faits l'un pour l'autre.

— Et c'est vrai ? Vous êtes si mal assortis ?

— Non, j'ai été stupide. C'est l'homme que j'aime, celui qu'il me faut.

— Eh bien, va lui avouer que tu t'es trompée. S'il t'aime aussi, il le comprendra.

— De toute façon, je suis prête à élever cet enfant toute seule, si c'est nécessaire.

— Allons, ne sois pas stupide, Denise, s'écria son père un peu trop fort, s'attirant du coup les regards intrigués des convives alentour.

Dans la foulée, une voix masculine — que la jeune femme reconnut aussitôt — s'éleva pour dire :

— Vous n'avez pas le droit de lui parler sur ce ton.

Richard Torrance se tourna instantanément vers l'individu qui l'avait interpellé et qui à présent avançait dans sa direction.

— C'est une affaire de famille, Patrick, dit-il. Je vous en prie, ne vous mêlez pas de ça.

Denise nota vaguement que quelques curieux s'étaient agglutinés autour d'eux, mais elle s'en moquait bien ! Elle n'avait plus d'yeux que pour celui qui venait de bondir comme un fauve pour la défendre contre son père, celui qui, pour la rencontrer, s'était fait passer pour son frère jumeau.

Mike Ryan !

Mike, cheveux courts et costume bien coupé ! Aussi invraisemblable que cela paraisse, elle n'était pas victime d'une hallucination. Fallait-il donc que cet homme l'aime pour avoir renoncé à sa propre personnalité dans le simple but de la séduire !

— Tes cheveux... et tout le reste, ce n'était pas la peine, dit-elle, se sentant coupable et honteuse de ce sacrifice inutile.

Et pour bien lui faire comprendre que ce qu'elle disait était vrai, elle l'embrassa devant tout le monde.

Etonné, ému et étourdi par ce baiser inattendu, Mike lutta contre lui-même pour ne pas prendre la jeune femme dans ses bras, la serrer très fort contre lui et lui faire l'amour, là, tout de suite, avec toute la force du désir qu'il avait réfréné pendant quatre jours.

Pendant ces jours sans elle — des jours d'enfer —, il avait eu tout le temps de réfléchir. Puisque Denise se retranchait derrière leurs différences pour justifier son refus du mariage, il en était tout naturellement venu à la conclusion que le seul moyen de la convaincre serait pour lui de devenir semblable aux hommes de son milieu. Et pourquoi ne pas frapper un grand coup en la surprenant dans son élément, au cours de ce cocktail professionnel ? s'était-il dit. C'était logique et imparable — du moins était-ce ce qu'il avait cru jusqu'à maintenant...

Car à présent, il n'était plus du tout aussi sûr d'avoir eu une bonne idée ! Bon, d'accord, Denise venait de l'embrasser au vu et au su de tous. Mais qu'est-ce que cela prouvait ? N'était-ce pas une simple façon de manifester sa satisfaction devant ce nouveau look qui faisait de lui une banale copie conforme de tous ces jeunes hommes d'affaires participant au cocktail de Torrance Accounting ?

174

La réponse à toutes les questions que Mike se posait lui vint de la façon la plus inattendue qui fût, lorsque la jeune femme tira d'un seul coup sur l'extrémité de sa cravate et, en une seconde, dénoua l'élégant nœud Windsor qu'il avait élaboré avec tant de difficulté ! Puis, avec le même air espiègle, comme si cela ne suffisait pas encore, elle leva la main et, du bout des doigts, ébouriffa sa sage coiffure courte. Elle avait l'air de tant s'amuser que, l'espace d'une seconde, Mike se demanda encore si elle n'était pas en train de se moquer de lui... Jusqu'à ce que ces mots, chuchotés d'une voix sensuelle, emportent enfin ses derniers doutes :

— Je t'aime. J'aime le vrai Mike Ryan, le fan de moto, cheveux longs et tenue de cuir.

— Ah ? Tu... Je croyais que tu n'aimais que les hommes en costume et cravate ?

— C'est tel que tu es que tu me plais. Ne change rien pour moi. Tout ce que je te demande, c'est de m'aimer comme je t'aime.

— Aucun problème, chérie ! dit Mike en riant, faisant mine de prendre les choses à la légère pour cacher son émotion.

— Denise, pourrais-je savoir ce qui se passe ici ? intervint Richard Torrance, s'immisçant à ce moment-là dans la conversation.

Au grand étonnement de Mike, la jeune femme lui prit la main, puis, calmement, soutenant le regard de son père, elle répondit d'une voix claire :

— Papa, permets-moi de te présenter Mike Ryan, le frère jumeau de Patrick, le patron de Ryan's Custom Cycles et probablement le meilleur spécialiste de motos de la région. Mais surtout, c'est l'homme que je vais épouser... S'il veut toujours de moi.

Mike enlaça Denise et se perdit un moment dans le bleu de ses yeux.

— Au départ, c'est vrai, je ne voulais pas tomber amoureux, dit-il après un long instant d'un silence ému. Mais maintenant, tout est différent, je ne peux plus vivre sans toi. Marions-nous et aimons-nous pour toujours.

A la vue des larmes qui brillaient dans les yeux de sa compagne, un bonheur teinté de fierté monta en lui, tellement fort, tellement bouleversant… Incapable de prononcer un mot, il attendit de la voir acquiescer d'un signe de tête. Alors, il la prit dans ses bras et, comme s'ils étaient seuls au monde, s'empara de ses lèvres avec passion.

— Ryan's Custom Cycles, hé, hé, mon garçon, vous pourriez avoir besoin des services d'un bon cabinet de comptabilité, plaisanta Richard Torrance.

Voilà un homme qui avait l'esprit d'à-propos ! songea Mike, amusé.

— Merci, mais j'ai une comptable privée qui fera très bien l'affaire ! répliqua-t-il en riant, tendant une main cordiale à celui qui serait bientôt son beau-père.

Denise avait tenu à boucler tous ses dossiers en cours avant le mariage, afin de pouvoir ensuite partir l'esprit tranquille avec Mike en voyage de noces. Après des semaines où leur impatience n'avait cessé de croître, le grand jour était enfin arrivé. Dans quatre heures à peine, ils s'envoleraient tous deux pour une semaine de rêve à Tahiti.

En attendant, ils devaient encore écouter l'officier d'état civil leur faire lecture des articles de la Loi, puis, dans quelques instants, l'instant solennel arriverait où ils prononceraient l'un après l'autre les vœux du mariage qui les lieraient à tout jamais.

Mike couvait la jeune femme d'un regard ardent. Comment pouvait-il la trouver sexy avec ce ventre qui s'arrondissait de jour en jour ? Cela restait pour elle un mystère. Il ne faisait pourtant aucun doute que plus ses formes s'épanouissaient, plus il la désirait. D'ailleurs, ne lui avait-il pas encore dit, juste avant que ne commence la cérémonie, qu'il avait terriblement hâte de la débarrasser de cette couronne de roses jaunes et blanches qui lui ceignait le front, de déchirer de ses mains sa jolie petite robe ivoire et… La suite, en réalité, il ne l'avait pas précisée, mais il n'était pas bien difficile de la deviner ! Il fallait dire que les pensées de Denise, en ce moment, n'étaient guère plus avouables…

Les mariés retinrent leur souffle au moment symbolique de l'échange des anneaux. Puis Mike posa la main sur le ventre de Denise et il lui chuchota à l'oreille :

— Je jure de vous aimer tous les deux, de toutes mes forces et pour toujours.

Les jeunes époux changèrent le baiser rituel et un murmure d'approbation passa dans le petit groupe d'amis et de parents venus les soutenir.

Pour leur plus grand bonheur, tout était terminé… ou plutôt, tout allait commencer.

Épilogue

— Du calme, monsieur Torrance ! s'exclama Tina Dolan à l'adresse du futur grand-père qui arpentait la salle d'attente de la maternité. Votre fille n'est arrivée que depuis une heure et elle pourrait bien en avoir pour toute la nuit.

— Toute la nuit ! répéta Richard, blême, en se laissant tomber sur l'une des chaises de plastique rangées le long du mur. Oh, mon Dieu, je n'ai pas souvenir de m'être autant angoissé pour la naissance de ma propre fille. Il faut dire qu'à l'époque, j'étais plus jeune.

— Parle-lui, toi, glissa alors Tina à l'oreille de son mari, assis à côté d'elle. Essaie de lui changer les idées. Tu es un homme, il t'écoutera peut-être mieux que moi.

Bob n'hésitait jamais dès qu'il s'agissait de rendre service. En outre, comme Mike lui avait dit que son beau-père s'intéressait à la finance, il avait déjà trouvé un sujet de conversation pour détourner l'attention de Richard Torrance...

— En parlant d'âge, vous savez, Tina et moi ne sommes pas non plus de tout jeunes gens. Et justement, je me demande si nous ne ferions pas bien de penser à investir en vue de nos vieux jours, dit-il, comme si l'idée venait de germer fortuitement. De quoi mettre un peu de beurre dans les épinards, vous voyez ?

— Très bonne idée, approuva Richard Torrance en continuant à surveiller du coin de l'œil la porte à double battant derrière laquelle Denise avait été emmenée un peu plus tôt.

— Quel placement nous recommanderiez-vous ? Un bien immobilier, peut-être ? insista Bob.

Il comprit que sa persévérance avait payé lorsque, peu après, Richard se tourna vers lui et dit :

— Etre propriétaire est certainement une bonne façon de préserver l'avenir. Puisque cela a l'air de vous intéresser, je vais vous donner quelques tuyaux...

— Courage, chérie, chuchota Mike, contemplant sa femme d'un air anxieux. Encore quelques poussées et ce sera bon.

Denise parvint à sourire. En d'autres circonstances, elle aurait même franchement ri en voyant ce petit air comique qu'avait Mike, avec cette longue blouse verte et ce ridicule bonnet assorti dont il avait dû s'affubler pour avoir le droit d'entrer dans la salle de travail. Mais pour l'heure, elle souffrait bien trop pour s'amuser du spectacle ! Sa respiration se faisait de plus en plus courte. La douleur semblait s'être définitivement installée dans son ventre, au point que, même entre deux contractions, elle ne disparaissait plus. Et dire que cela faisait seulement trois heures que le travail avait commencé ! Quand elle avait appris qu'un premier accouchement pouvait s'éterniser une journée entière, elle n'avait pas douté une seconde de pouvoir tenir le coup. Elle n'en était plus aussi sûre, à présent.

Maintenant elle aurait voulu pouvoir tout arrêter, remonter le temps et dire à ce bébé qui s'annonçait avec une semaine d'avance de patienter encore un peu. Oh, pas grand-chose, juste quelques jours, le temps qu'elle reprenne quelques forces !

— Préparez-vous à pousser encore, madame Ryan, votre bébé est presque là, annonça la sage-femme avec une autorité tranquille.

— Oh ! Mike, quel dommage que tes parents et tes frères ne soient pas encore arrivés, se lamenta Denise d'une voix plaintive. Ils vont être si déçus.

Juste avant qu'une nouvelle contraction ne la plonge dans un état second, elle eut le temps d'entendre Mike lui répondre :

— Patrick est déjà là. Quant aux autres, ils auront le plaisir de voir le bébé tout de suite en arrivant.

La douleur enfla pour atteindre son paroxysme et, bientôt, plus rien n'exista que ces éclairs fulgurants et rapprochés qui lui déchiraient le corps. Elle serra les dents, s'apprêtant à livrer le plus fabuleux combat de sa vie…

— Inspirez une bonne fois… et poussez… poussez… poussez encore ! reprit la voix douce et rassurante de la sage-femme. Ne poussez plus… Bloquez votre respiration. Voilà, on voit déjà la tête…

Appliquée à faire ce qu'on lui demandait, concentrée sur sa tâche, Denise n'entendait plus rien que cette voix qui lui donnait des ordres. Mais la force dont elle avait besoin pour garder la maîtrise de la situation malgré la souffrance, c'était Mike qui la lui donnait — par ses petits mots chuchotés comme des secrets qui n'appartenaient qu'à eux deux, par ses baisers d'encouragement sur son

180

front trempé de sueur, par son bras glissé sous ses épaules, par sa présence tout simplement.

La souffrance allait crescendo. L'instant vint enfin où, rassemblant toute l'énergie dont elle était encore capable, Denise poussa une dernière fois. Une seconde plus tard, le cri perçant d'un nouveau-né emplissait la pièce.

Epuisée, la jeune femme retomba en arrière, dans les bras de Mike qui se resserrèrent autour d'elle, et pour la première fois, elle vit que son mari avait les larmes aux yeux.

— C'est un garçon, chuchota-t-il. Nous avons un fils !

L'émotion était trop forte et ils demeurèrent dans les bras l'un de l'autre un moment sans se parler, jusqu'à ce qu'une voix masculine interrompe soudain ce moment de tendre intimité.

— Alors, qu'est-ce que c'est ?... Fille ? garçon ? ou les deux ?

Denise et Mike levèrent les yeux pour apercevoir le visage hilare de Patrick dans l'entrebâillement de la porte.

— Un garçon, répondit Mike fièrement, pendant que la sage-femme se mettait à crier.

— Fichez le camp ! Vous n'avez rien à faire ici !

Patrick déguerpit dans l'instant et l'on n'entendit plus que ses exclamations de joie provenant du couloir.

— Il faudra que je pense à remercier ton complice, murmura Denise, tandis que Mike se penchait pour l'embrasser.

Au même moment, une infirmière leur tendit le bébé.

En voyant son mari, submergé de bonheur, prendre leur tout-petit dans ses bras, Denise songea que cet homme en apparence si différent d'elle, avec qui elle avait cru ne jamais pouvoir s'entendre, était bel et bien celui qui lui était destiné depuis toujours.

La vie réservait de sacrées surprises !

Le nouveau visage
de la collection Or

◆

AMOURS D'AUJOURD'HUI

Afin de mieux exprimer sa modernité et de vous séduire encore davantage, votre collection Or a changé de couverture et de nom depuis le 1er mars 1995.

Rassurez-vous, les romans, eux, ne changent pas, et vous pourrez retrouver dans la collection **Amours d'Aujourd'hui** tous vos auteurs préférés.

Comme chaque mois, en effet, vous y attendent des héros d'aujourd'hui, aux prises avec des passions fortes et des situations difficiles...

COLLECTION
AMOURS D'AUJOURD'HUI :
Quand l'amour guérit des blessures de la vie...

Chère lectrice,

Vous nous êtes fidèle depuis longtemps?
Vous venez de faire notre connaissance?

C'est pour votre plaisir que nous avons
imaginé un rendez-vous chaque mois
avec vos auteurs préférés, vos
AUTEURS VEDETTE dans les
collections Azur et Horizon.

Les AUTEURS VEDETTE vous
donneront rendez-vous pour de
nouveaux livres vedette.

Pour les reconnaître, cherchez
l'étoile... Elle vous guidera!

Éditions Harlequin

HARLEQUIN

LE FORUM DES LECTEURS ET LECTRICES

CHERS(ES) LECTEURS ET LECTRICES,

VOUS NOUS ETES FIDÈLES DEPUIS LONGTEMPS?

VOUS VENEZ DE FAIRE NOTRE CONNAISSANCE?

SI VOUS AVEZ DES COMMENTAIRES, DES CRITIQUES À
FORMULER, DES SUGGESTIONS À OFFRIR, N'HÉSITEZ
PAS... ÉCRIVEZ-NOUS À:
      LES ENTERPRISES HARLEQUIN LTÉE.
      498 RUE ODILE
      FABREVILLE, LAVAL, QUÉBEC.
      H7R 5X1

C'EST AVEC VOS PRÉCIEUX COMMENTAIRES QUE NOUS
ALLONS POUVOIR MIEUX VOUS SERVIR.

DE PLUS, SI VOUS DÉSIREZ RECEVOIR UNE OU
PLUSIEURS DE VOS SÉRIES HARLEQUIN PRÉFÉRÉE(S)
À VOTRE DOMICILE, NE TARDEZ PAS À CONTACTER LE
SERVICE D'ABONNEMENT; EN APPELANT AU
(514) 875-4444 (RÉGION DE MONTRÉAL) OU 1-800-667-4444
(EXTÉRIEUR DE MONTRÉAL) OU TÉLÉCOPIEUR
(514) 523-4444 OU COURRIER ELECTRONIQUE:
AQCOURRIER@ABONNEMENT.QC.CA OU EN ÉCRIVANT À:
      ABONNEMENT QUÉBEC
      525 RUE LOUIS-PASTEUR
      BOUCHERVILLE, QUÉBEC
      J4B 8E7

MERCI, À L'AVANCE, DE VOTRE COOPÉRATION.

BONNE LECTURE.

HARLEQUIN.

VOTRE PASSEPORT POUR LE MONDE DE L'AMOUR.

COLLECTION HORIZON

Des histoires d'amour romantiques qui vous mènent au bout du monde!

Découvrez la passion et les vives émotions qu'apportent à la Collection Horizon des auteurs de renommée internationale!

Captivantes, voire irrésistibles, ces histoires d'amour vous iront assurément droit au coeur.

Surveillez nos trois nouveaux titres chaque mois!

♉ ♊ ♋ ♌ ♍
69 L'ASTROLOGIE EN DIRECT ♒
TOUT AU LONG
DE L'ANNÉE.

(France métropolitaine uniquement)
Par téléphone 08.92.68.41.01
0,34 € la minute (Serveur SCESI).

Composé et édité
PAR LES ÉDITIONS HARLEQUIN
Achevé d'imprimer en mars 2004

BUSSIÈRE
GROUPE CPI

à Saint-Amand-Montrond (Cher)
Dépôt légal : avril 2004
N° d'imprimeur : 41036 — N° d'éditeur : 10465

Imprimé en France